Ein Wort zuvor

Mit der *Fernseh-Fastenwoche* des Bayerischen Rundfunks, 1976 das erste Mal ausgestrahlt, wurde das außerklinische Fasten bei uns populär. Gleichzeitig und als Begleitbuch zur Fernsehserie erschien *Wie neugeboren durch Fasten*. Nach diesem ärztlichen Fastenführer, der in zehn Fremdsprachen übersetzt wurde, haben inzwischen beinahe zwei Millionen Menschen das selbständige Fasten kennengelernt. Sie alle haben erlebt, was Fasten bedeutet: Gewichtsabnahme, Entschlackung des Körpers, vor allem aber ein neues Gefühl von Leistungsfähigkeit und Wohlbefinden.

Anlaß zum Fasten – das wissen wir aus zahllosen Gesprächen und Briefen – ist keineswegs nur der Wunsch, rasch ein paar überflüssige Pfunde loszuwerden; viele Menschen möchten erfahren, ob man tatsächlich ohne feste Nahrung leben kann und wie man sich in dieser Unabhängigkeit fühlt. Wieder andere spüren wohl mehr als sie wissen, daß irgend etwas in ihrem Leben in Unordnung geraten ist, das es in Ordnung zu bringen gilt.

Fasten – eine neue Lebenserfahrung

Viele Menschen haben mehrmals eine Fastenwoche erlebt, haben das Fasten verlängert auf zwei oder drei Wochen, ja sogar Fasten als neue Gewohnheit in ihr Leben übernommen. Sicher nicht zuletzt deshalb, weil sie erfahren haben, daß Fasten einen Impuls zur Veränderung geben kann – zur schrittweisen Änderung von Eßverhalten, Ernährung und Bewegungsgewohnheiten.

Besonders bewährt hat sich das Fasten in Gemeinschaft. Gegenseitige Information oder Ermutigung, das gemeinsame Erlebnis unter Führung durch Erfahrene wurden als hilfreich empfunden.

Dieser Ratgeber wird sicherlich noch viele Menschen durch ihre Fastentage begleiten und hoffentlich dazu beitragen, daß es eine erlebnisreiche Zeit für sie wird.

Aus Gesprächen und Briefen wissen wir auch, daß bei vielen Menschen schon der erste Bissen zu einer neuerlichen Auseinandersetzung mit dem Essen führt. Deshalb wurde dem Fastenführer ein Führer durch die Nachfastenzeit beigegeben (Seite 67 und 107) – mit all jenen Hilfen, die es möglich machen, den Gewinn einer Fastenwoche zu erhalten und zu mehren.

Dr. med. Hellmut Lützner

Wie neugeboren durch
Fasten

Der bewährte ärztliche
Fastenführer für Gesunde
- abnehmen
- entschlacken
- wohlfühlen

GU
GRÄFE
UND
UNZER

Inhalt

PRAXIS

Wichtiger Hinweis

Selbständig fasten dürfen nur wirklich gesunde Menschen. Wenn Sie sich insoweit nicht sicher sind oder sich in ärztlicher Behandlung befinden, sollten Sie zunächst Ihren Arzt befragen.
Wenn Sie chronisch krank sind, Medikamente nehmen, sich nicht gesund fühlen oder wegen unklarer Beschwerden in ärztlicher Behandlung stehen, so dürfen Sie nicht selbständig fasten. Sie sollten sich einer Fastenklinik anvertrauen.
Auch sollten Sie einen fastenerfahrenen Arzt aufsuchen, wenn während des Fastens oder in der Nachfastenzeit ungewöhnliche Beschwerden auftreten.

Fasten gehört zum Leben

Sich zurückziehen vom Alltagstrubel, Einkehr halten, zur Ruhe kommen, sich auf sich selbst besinnen, einfach und aus sich selbst leben – das alles können Sie für sich »neu entdecken« und dabei auch noch abnehmen, entschlacken, den Körper entlasten. Machen Sie es, wie viele Menschen es tun: Packen Sie die Gelegenheiten zum Fasten, die sich Ihnen beinahe täglich bieten, beim Schopf – oder planen Sie ein Kurzzeitfasten fest ein, einmal im Jahr, zweimal, ein paar Mal.
Für den Einstieg in ein Erstfasten brauchen Sie etwas Mut und die Lust, Neues zu entdecken. Und Sie brauchen Ruhe, Geborgenheit und Wärme, um diese Zeit wirklich nutzen zu können.

Das ist Fasten

Fasten – jeder kennt es

Essen und Nichtessen sind wie Wachen und Schlafen, wie Spannung und Entspannung; sind wie Pole, zwischen denen sich menschliches Leben ereignet.

Essen am Tage und Fasten in der Nacht gehören so selbstverständlich zum menschlichen Lebensrhythmus, daß sich niemand darüber Gedanken macht. Nur wenn wir am Abend spät gegessen haben, fällt uns auf, daß am Morgen der Appetit fehlt: Ein Zeichen des Körpers, daß die für ihn notwendige Fastenzeit noch nicht beendet ist; sie wurde nur verschoben.

Durch sich selbst leben

Nicht umsonst nennt der Engländer das Frühstück »breakfast« – Fastenbrechen. Wer in der Nacht nicht gefastet hat, braucht eigentlich am Morgen kein »breakfast«.

Zwölf bis vierzehn Stunden am Tag braucht der Mensch für Wachsein, Arbeit, Nahrungsaufnahme, für Kontakt mit der Außenwelt, für Aktion und Reaktion.

Zehn bis zwölf Stunden bleiben ihm in der Nacht für den Stoffwechsel, das heißt für Abbau, Umbau und Aufbau von Körpersubstanzen. Die dafür notwendige Energie holt sich der Körper aus seinen Depots. In der Fastenzeit der Nacht »beschäftigt sich der Mensch mit sich selbst«: er schläft, er hält still. Ruhe, Geborgenheit und Wärme helfen ihm, allein durch sich selbst zu leben. Dies sind die entscheidenden Voraussetzungen für jedes Fasten; sie werden Ihnen in diesem Buch immer wieder begegnen.

Fasten und Kranksein

Auch der Kranke braucht Ruhe, Geborgenheit und Wärme, auch er möchte häufiger als sonst mit sich allein sein. Das fiebernde Kind lehnt Nahrung ab und verlangt nur nach frischen Säften. Der kranke Hund verkriecht sich in seine Hütte und frißt tagelang nichts.

Kranke Lebewesen also verhalten sich instinktiv richtig: Sie fasten. Der kranke Organismus braucht zur Gesundung Zeit und Kraft für sich selbst. Die notwendige Energie für die Wiederherstellung kranker und die Neubildung gesunder Zellen gewinnt er aus seinen körpereigenen Nahrungsdepots. Indem er fastet, spart er sich die Verdauungsarbeit, die 30 Prozent des gesamten Energieaufwandes beansprucht, und nutzt die freiwerdende Energie für die Heilarbeit.

Heilhilfen Fieber und Fasten Dieses instinktive Fasten im Fieber oder bei manchen anderen Krankheiten ist eine großartige Selbsthilfe der Natur. Wir wissen genau, daß Fieber und Fasten für jeden sonst gesunden Menschen hochwirksame Heilungshilfen sind:

- Sie haben eine starke Zerstörungskraft für in den Körper eingedrungene Bakterien.
- Sie hemmen Ausbreitung und Wachstum von Viren.
- Sie erhöhen die Abwehrkraft des Blutes und der Zellen.
- Sie steigern die Ausscheidung von Gift- und Krankheitsstoffen.

Fasten und Leistung

Sie wissen vielleicht aus eigener Erfahrung, daß Kraft, Schnelligkeit, Ausdauer, Denkvermögen keineswegs unmittelbar vom Essen abhängen. Im Gegenteil, der Volksmund sagt ganz richtig: »*Ein voller Bauch studiert nicht gern.*« Der Nüchterne nämlich denkt besser und schneller.

Welcher Bergsteiger ißt vor dem Aufstieg? Wenn er um drei Uhr morgens aufbricht, steigt er drei, vier oder fünf Stunden während der verlängerten Fastenzeit der Nacht. Erst danach frühstückt er. Kein Läufer erbringt eine Spitzenleistung, wenn er vor dem Start gegessen hat.

Kraft aus Nahrungsdepots Aus diesen wenigen Beispielen wird deutlich, daß der Mensch normalerweise nicht »von der Hand in den Mund« lebt, daß er seine Kraft nicht unmittelbar aus der Nahrung bezieht. Er verfügt über Reserven, die er sich in Form von Nahrungsdepots angelegt hat; sie sind schneller und rationeller abrufbar als die Kraft, die erst nach zeit- und energieraubender Verdauungsarbeit aus der Nahrung gewonnen wird.

Stellen Sie sich selbst einmal folgende Fragen:
- Wann bin ich besonders aktionsfähig?
- Wann habe ich davor zuletzt gegessen?
- Habe ich viel gegessen? – Wenig? – Nichts?
- Habe ich Stimulanzien gebraucht wie Kaffee, schwarzen Tee, Coca-Cola, Nikotin, Alkohol?
- Wovon ist meine Bestform abhängig?

Auch ein anderes Phänomen hilft uns, das alte Vorurteil, der Mensch beziehe seine Kraft unmittelbar aus der Nahrung, zu widerlegen:
Nicht nur während, sondern auch nach einer Kraft- oder Ausdauerleistung fehlt oft jedes Bedürfnis zum Essen. Zuerst wird der Durst gestillt, und sehr viel später erst stellt sich der Hunger ein.

Beim Sport kein Hunger Sportler erleben den Zusammenhang zwischen Leistung und Fasten, sie wissen, daß Leistung möglich wird mit Hilfe der Energie aus körpereigenen Kraftreserven. Denn:

■ Der Fastenstoffwechsel vermeidet Energieverluste durch Verdauungsarbeit und mobilisiert Kraft auf optimale Weise.

Es ist sogar möglich, tage- und wochenlang ohne Nahrung zu leben und dabei erstaunliche Leistungen zu erbringen. Der schwedische Arzt Otto Karl Aly berichtet über den großen Fastenmarsch von zwanzig Schweden, die davon überzeugt waren, daß der Mensch aus seinen körpereigenen Depots nicht nur leben, sondern auch Leistungen vollbringen kann. Die Männer marschierten von Göteborg nach Stockholm – 500 Kilometer in 10 Tagen, also 50 Kilometer täglich –, ohne feste Nahrung zu sich zu nehmen. Sie verbrauchten nicht mehr als etwas Obstsaft und ungefähr drei Liter Wasser pro Tag. Dr. Aly berichtet, daß die Männer trotz ihres Gewichtsverlustes von jeweils 5 bis 7 Kilogramm prächtig aussahen, bester Laune waren und keineswegs erschöpft, sondern mit einem Zuwachs an Kraft und Ausdauer in Stockholm ankamen.

500 km ohne feste Nahrung

Fasten = Leben ohne Nahrung

Die beiden Energie-Programme des Menschen

Das Umschalten von Essen auf Fasten geschieht von selbst. Die Programme laufen automatisch ab.

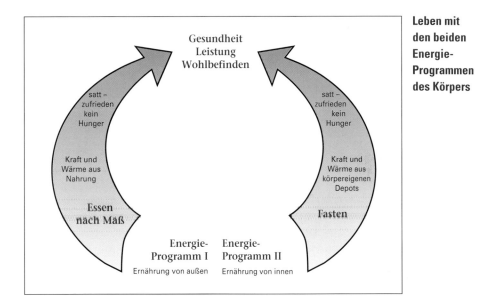

Leben mit den beiden Energie-Programmen des Körpers

Gesundheit
Leistung
Wohlbefinden

satt –
zufrieden
kein
Hunger

satt –
zufrieden
kein
Hunger

Kraft und
Wärme aus
Nahrung

Kraft und
Wärme aus
körpereigenen
Depots

Essen
nach Maß

Fasten

Energie-
Programm I

Energie-
Programm II

Ernährung von außen   Ernährung von innen

Die richtige Umschaltung von Energie-Programm I auf Energie-Programm II wird vorbereitet:

Umschalten
● durch das Wissen um die im Menschen vorprogrammierte Fähigkeit zum Fasten,

● durch das Vertrauen in die Ungefährlichkeit dieses natürlichen Weges,

● durch den freiwilligen Entschluß zu fasten,

● durch eine gründliche Darmentleerung, das Signal zum Umschalten und die Einleitung des Fastens.

■ Das endgültige Ja zum Fasten kommt in den ersten Tagen mit dem für den Erstfaster überraschenden Erlebnis, *daß er keinen Hunger hat, sich wohl fühlt und leistungsfähig ist.*

Daraus ergibt sich wachsendes Vertrauen auf die automatische Selbststeuerung des Körpers. Aus der Erfahrung, daß Leben ohne Nahrung möglich ist, gewinnt der Fastende jene innere Sicherheit, die von Nichtkennern des Fastens immer wieder bewundert wird.

Hunger als natürliches Körpergefühl Hunger heißt als Signal des Körpers: »Ich warte auf Nahrung. Ich habe mich vorbereitet, Nahrung aufzunehmen. Ich produziere Speichel und Verdauungssäfte. Mein Stoffwechsel ist auf Energie-Programm I geschaltet.«

Fehlt die Energiequelle Nahrung, wird diese Erwartung enttäuscht. Dann wird das Signal Hunger zu jenem unangenehmen bis quälenden Zustand, den wir »hungern« nennen: Ein Körpergefühl, das wir bohrend in der Magengegend spüren und das hartnäckig unser Denken besetzt. Wenn es schlimm ist, kann der Kreislauf darauf mit Schwindel, Übelkeit und Schwäche, manchmal auch mit Schweißausbruch und Zittern reagieren.

Satt sein heißt:
den körperlichen Hunger gestillt haben.

Schon ein Glas Saft kann diesen akuten Hunger in fünf bis zehn Minuten beseitigen. Essen hilft dauerhafter.

Appetit oder Hunger muß aber keineswegs nur Verlangen nach Nahrung sein. Er kann auch Verlangen nach Liebe, nach Geborgenheit, nach Anerkennung durch andere und nach Selbstbestätigung sein. Unzählige Menschen werden dick oder stoffwechselkrank, weil sie unbewußt versuchen, diese seelischen Bedürfnisse durch Essen, Trinken oder Rauchen zu stillen. **Seelischer Hunger**

Warum der Fastende keinen körperlichen Hunger verspürt, ist jetzt zu verstehen. Er ist auf Energie-Programm II geschaltet. Er hat keinen Hunger, weil ihn seine innere Energiequelle voll versorgt. Solange seine Nahrungsdepots reichen, kann er fasten. Alle Organe des Gesunden arbeiten auch im Fasten so sicher und selbstverständlich wie immer.

Vielleicht verstehen Sie jetzt auch, warum das Einmal-eine-Mahlzeit-Auslassen oder das Wenig-Essen – beispielsweise bei einer Reduktionskost auf 1000 Kalorien – häufig so schwierig ist. Der auf Energie-Programm I geschaltete Körper bekommt zu wenig und hungert. **Fasten ist leichter als wenig essen** Das totale Nichtessen – das Leben mit Energie- Programm II – ist wirklich ungleich leichter.

Jeder Mensch trägt die Fähigkeit zum Umschalten auf Fasten in sich. Sie muß lediglich neu erfahren und geübt werden. Der fastengewohnte Körper schaltet natürlich schneller um, sobald Nahrung fehlt, als der fastenungeübte.

Der Verzicht auf eine Mahlzeit ist für einen fastenerfahrenen Körper kein Problem mehr. Ihm gelingt es sogar, auf eine Mittelstellung zwischen Energie-Programm I und Energie-Programm II zu schalten – also mit einer Reduktionskost zu leben – und damit seinen Energiebedarf zum Teil aus Nahrung und zum Teil aus den körpereigenen Depots zu decken, ohne Hunger zu haben. Dies geschieht schon beim stufenweisen Kostaufbau nach einer kurzen Fastenwoche.

Fasten kann man lernen

Als Faustregel gilt:
Fasten ist nicht Hungern.
Wer hungert, fastet nicht.

Damit müßte klar geworden sein, daß »Fasten = Leben ohne Nahrung« natürlicher Bestandteil unseres Daseins ist.

Merkwürdig ist, daß dieses Prinzip den meisten Menschen unbekannt zu sein scheint. Die Vorstellung, man könne ohne Nahrung leben und in dieser Zeit gar arbeiten, ist für sie einfach unfaßbar. Sie befürchten Entbehrungen, Krankheiten, ja sogar den Tod. Solche Vorurteile halten sich erstaunlich hartnäckig. Dabei brauchen wir uns nur in der Natur umzuschauen, um eines Besseren belehrt zu werden.

Fasten – Bestandteil unseres Daseins

Fasten in der Tierwelt

Wochen- und monatelanges Fasten gehört zum normalen Jahresrhythmus vieler in freier Wildbahn lebender Tiere. Es ist die von der Natur eingeplante Form des Überleben-Könnens in der nahrungslosen Zeit. Hochgebirgswild wie Steinbock, Gemse, Hirsch und Murmeltier frißt sich im Herbst eine gute Schicht Winterspeck an; davon kann es dann lange leben. Während das Murmeltier seinen Winterschlaf hält, wodurch sein Energiebedarf sehr gering wird, müssen Steinbock, Gemse und Hirsch einen harten Kampf gegen Schnee und Kälte durchstehen. Daß gerade in diese Fastenperiode ihre Brunftzeit mit hitzigem Kampf gegen den Geschlechtsgenossen und Befruchtung der weiblichen Tiere fällt, macht auch dem Skeptiker deutlich, daß Fasten keineswegs Minderung der Lebenskraft bedeutet, sondern – im Gegenteil – potenziertes Leben! Etwas Ähnliches gibt es im Leben der Fische und Vögel. Der Lachs nimmt bei seiner anstrengenden Flußaufwärtsreise und während der darauffolgenden Laichzeit keine Nahrung zu sich. Zugvögel

Steigerung der Lebenskraft

fressen in der zweiten Sommerhälfte mehr als sie brauchen; sie haben beim Abflug in die wärmeren Breiten oft das Doppelte ihres normalen Gewichts. Mit dem »Kraftstoff« Fett bewältigen sie Non-stop-Flüge bis zu 5000 Kilometer Länge. Nach diesen Hochleistungen ist ihr Gewicht wieder normal.

Von Wölfen ist bekannt, daß sie tage- und wochenlang ohne Nahrung leben und dabei weite Strecken zurücklegen können. Fast alle Raubtiere fressen, wenn sie Nahrung finden; können sie keine Beute machen, leben sie aus ihren Nahrungsdepots.

Wurzeln menschlichen Fastens

Wie für Tiere, so war auch für Menschen die angeborene Fähigkeit, gespeicherte Nahrungsenergie zu nutzen, eine biologische Notwendigkeit zum Überleben. Ganze Völker wären ohne diese Fähigkeit ausgestorben.

Durch Fasten überleben Sogar bei extrem langem Nahrungsentzug ist Überleben noch möglich, selbst dann, wenn wichtige Körpersubstanzen teilweise abgebaut werden. Der Weg bis zum Verhungern ist weit.

Wie vor Tausenden von Jahren leben Naturvölker in Australien und Afrika auch heute noch angepaßt an ihre kärgliche Umwelt: Zeiten, in denen sie auf Vorrat essen, und Zeiten, in denen sie nichts zu essen haben, wechseln einander ab.

■ Die Geschichte des alten Kulturvolkes der Hunzas ist ein sehr anschauliches Beispiel dafür, daß Fasten mehr sein kann als die Möglichkeit zu überleben. Dieses Völkchen von zehntausend Menschen lebt in einem Hochtal des Zentral-Himalaja; es war bis vor wenigen Jahrzehnten nahezu hermetisch von der Außenwelt abgeschlossen. Dr. Ralph Bircher berichtet in seinem Buch »Die Hunzas« Erstaunliches: Die Äcker des Hochtales erbrachten nicht genügend Nahrung, um die Menschen das ganze Jahr über zu ernähren. Bis die Gerste im Juni reif wurde, fastete das ganze Volk wochenlang, manchmal sogar zwei Monate lang. Die Hunzas blieben dabei **Ein ganzes Volk fastet** fröhlich und zufrieden, sie leisteten in dieser Zeit die Arbeit des Jahres; sie machten ihre Feldarbeit und erneuerten ihre durch Lawinen zerstörten Bewässerungsgräben. Diese Menschen kannten keinen Arzt, und sie brauchten keine Polizei. Ihr Leben spielte sich nach natürlichen Verhaltensregeln ab.

Jetzt ist das Tal zugänglich geworden. Die Hunza-Männer dienen als Soldaten in Indien, oder sie arbeiten dort. Haltbare Nahrungsmittel wie Zucker, Weißmehl und Konserven werden importiert; das Volk »braucht nicht mehr zu hungern«. Seither gibt es im Hunza-Land die typischen Zivilisationskrankheiten: Zahnfäule, Blinddarmentzündungen, Gallenleiden, Übergewicht, Erkältungen, Diabetes – um nur einige typische zu nennen. Die Menschen brauchen jetzt nicht nur den Doktor, sondern auch den Polizisten.

Die Gesundheit ihres Körpers, ihres Verhaltens und ihres Denkens ist gestört.

Befreit von den Ablenkungen und Zwängen des Alltags, wird eine Rückbesinnung auf das Wesentliche möglich. Fasten ist ein uralter Weg zu innerer Freiheit und Erkenntnis.

Von diesem Beispiel her verstehen wir vielleicht auch die Wurzeln religiösen Fastens. Der Mensch dankt für die von Gott gegebene Möglichkeit, zu überleben und satt zu sein. Fasten wird als Weg zu innerer Ordnung, als Wegfindung und Reifung erlebt. Die großen Religionsstifter Moses, Christus, Buddha und Mohammed haben in langen, freiwilligen Fastenzeiten zu Grundordnungen des Daseins gefunden.

Religiöses Fasten

Wer von uns Heutigen, stets von Nahrung Umgebenen, begreift noch den tieferen Sinn dieses einsamen Fastens, dieses freiwilligen Verzichts auf Nahrung?

Sobald der Entzug von Nahrung als Zwang empfunden wird, ruft er Hunger und Widerstand hervor. Selbst die Kirche ist in ihrer Fastengeschichte oft gescheitert: Ihre Fastenermahnungen oder -gebote wurden umgangen und durchlöchert, sie riefen wachsenden Widerstand hervor, der zu immer weitergehenden Dispensen führte, häufig begründet mit der Furcht vor gesundheitlichen Schäden. Übrig blieben erstarrte, sinnentleerte Formeln.

Fasten selbst erleben Wir sollten uns unvoreingenommen daranmachen, den Wert des Fastens neu zu entdecken. Nichts kann uns besser helfen als ein Selbsterlebnis, ein Erlebnis, das jeder Mensch mit und durch sich selbst haben kann.

■ Die Voraussetzungen für ein Fasten sind: Aufgeschlossenheit für Neues, die Bereitschaft, es auszuprobieren, der Entschluß, es durchzuhalten.

Was ist Fasten?

● Fasten ist eine naturgegebene Form menschlichen Lebens.
● Fasten bedeutet, daß der Organismus durch innere Ernährung und Eigensteuerung aus sich selbst leben kann.
● Fasten ist eine Verhaltensweise von selbständigen Menschen, die sich frei entscheiden können.
● Fasten betrifft den ganzen Menschen, jede einzelne seiner Körperzellen, seine Seele und seinen Geist.

Fasten betrifft den ganzen Menschen

● Fasten ist die beste Gelegenheit, in Form zu bleiben oder wieder in Form zu kommen.
Außerdem hilft es jedem Menschen, seine Lebensweise zu ändern, falls das nötig ist.

Was ist Fasten nicht?

Fasten ist nicht hungern

● Fasten ist nicht Hungern.
● Fasten hat nichts zu tun mit Entbehrung und Mangel.
● Fasten bedeutet nicht: weniger essen.
● Fasten meint nicht: Abstinenz von Fleisch am Freitag; das wäre nur Verzicht.
● Fasten ist nicht Schwärmerei von Sektierern.
● Fasten muß nicht unbedingt mit Religion zu tun haben.

Die 5 Grundregeln des Fastens

Nichts essen – für eine, zwei oder mehr Wochen, **nur trinken:** Tee, Gemüsebrühe, Obst- oder Gemüsesäfte – und Wasser, mehr als der Durst verlangt.
Alles weglassen, was nicht lebensnotwendig ist. Alles das, was zur lieben Gewohnheit geworden ist, aber dem Körper während der Fastenzeit schadet: Nikotin und Alkohol in jeder Form; Süßigkeiten und Kaffee; Medikamente, soweit entbehrlich – auf jeden Fall aber Entwässerungstabletten, Appetitzügler und Abführmittel.
Sich vom Alltag lösen: heraus aus beruflichen und familiären Bindungen; weg von Terminkalender und Telefon. Verzicht auf Illustrierte, Radio, Fernsehen. Statt Reizüberflutung von außen – Begegnung mit sich selbst; statt sich der Steuerung von außen zu unterwerfen – sich der Innensteuerung überlassen.
Sich natürlich verhalten: Das tun, was dem Körper guttut, wonach der Körper verlangt. Der Erschöpfte soll sich ausschlafen, der Bewegungsfreudige soll wandern, Sport treiben, schwimmen. Das tun, was Spaß macht – bummeln, lesen, tanzen, Musik genießen, Hobbys pflegen.
Alle Ausscheidungen fördern: Den Darm regelmäßig entleeren, die Nieren durchspülen, schwitzen, abatmen, Haut und Schleimhäute pflegen.

Fastenformen

Wasserfasten – gutes Quell- oder Mineralwasser, 1½ Liter für Normalgewichtige, 2 bis 3 Liter für Übergewichtige.
Null-Diät – Wasserfasten mit Gabe von Vitaminen und Mineralsalz-Tabletten; oft in Krankenhäusern durchgeführt.
Teefasten – dreimal am Tage 2 Tassen Tee aus verschiedenen Kräutern – ohne Honig. Wasser zwischendurch. Auch das Teefasten bedeutet: null Kalorien. Es hat dem Wasserfasten gegenüber den Vorteil, daß man warme und basenreiche Getränke zu sich nimmt. (Oft Auftakt zur F. X. Mayr-Kur.)
Schleimfasten – für Magen- und Darm-Empfindliche besonders geeignet (mehr darüber Seite 38).
Rohsäftefasten (nach Heun) – 3-bis 5mal täglich 1 Glas frischgepreßten Obst- oder Gemüsesaft, zwischendurch Wasser.
Molkefasten – 1 Liter Molke, über den Tag verteilt, ergänzt durch Kräutertees und Frischpflanzensäfte. »Diät-Kurmolke« (Heirler) ist eiweißangereichert – geeignet für Schlanke und für die zweite Hälfte sehr langer Fastenzeiten. Besser zur Entschlackung ist Trink-Molke (Heirler), weil sie weniger Eiweiß und weniger Kalorien enthält.

So können Sie fasten

Buchinger-Fasten oder Tee-Saft-Fasten – Kräutertees, heiße Gemüsebrühen, Obst- und Gemüse-Säfte (»Das dürfen Sie zu sich nehmen«, Seite 37). In jahrzehntelanger Praxis hat sich das Buchinger-
Fasten bewährt; ich empfehle es als die geeignetste Form für ein
selbständiges Fasten.

Gewinn durch Fasten

●Fasten als schnellste, angenehmste und ungefährlichste Me-
thode, überflüssige Pfunde loszuwerden.

●Fasten als beste Möglichkeit, aus dem Zuviel unserer konsumbe-
tonten Zeit herauszufinden; maßvoll essen und sinnvoll genießen
zu lernen.

●Fasten als Hilfe zur Lösung aus der Abhängigkeit von Medikamenten und Genußmitteln.

**Ein breites
Spektrum**

●Fasten zur Entstauung und Entspeicherung von verschlacktem
Gewebe, das gleichzeitig schmerzfrei wird und sich »wohlig«
anfühlt.

●Fasten führt zu schöner Haut und zur Straffung aller Bindegewebe.

●Fasten als eines der wenigen, erfolgreichen biologischen Ent-
giftungsmittel in einer schadstoffbelasteten Umwelt.

●Fasten zur Erhaltung der körperlichen und geistigen Leistungsfähigkeit, vor allem für die Wechseljahre der Frau, die »midlife-
crisis« des Mannes.

●Fasten im Hinblick auf das Altern – es kann das biologische
Altern nicht verhindern, vermag aber vorzeitige Alterungsvorgänge
aufzuhalten.

●Fasten als Frühheilverfahren gewinnt zunehmende Bedeutung in
einer Zeit, in der es möglich wurde, Risikofaktoren für ernste Krankheiten labortechnisch rechtzeitig zu erkennen.

●Fasten als klinisches Heilfasten – die wirkungsvollste und ungefährlichste Behandlungsmöglichkeit bei ernährungsabhängigen
Stoffwechselerkrankungen. Dr. Buchinger sagt vom langen Fasten,
es sei ein »königlicher Heilweg« für viele akute und chronische
Krankheiten. Dies kann jeder Fastenarzt aus Erfahrung bestätigen.

Wie komme ich zum selbständigen Fasten?

Packen Sie die vielen Gelegenheiten beim Schopfe, die sich Ihnen beinahe täglich bieten.

Fasten im Alltag

▶ Zwingen Sie sich nicht zum Essen, wenn der Appetit fehlt. Bei vielen Menschen ist das morgens so. Die erste Mahlzeit sollte dann das Mittagessen sein (»Morgenfasten«). Fasten Sie nach zu vielem Essen, nach Festtagen, bei Magenverstimmungen, bei Durchfall. Fasten Sie so lange, bis sich ein natürliches Hungergefühl wieder einstellt. Fasten Sie bei Fieber – bei einer Grippe, einer Mandelentzündung, einer fieberhaften Bronchitis.

Fastenwoche

▶ Planen Sie ein Kurzzeitfasten von 5 Tagen in die nächste arbeitsfreie oder weniger belastende Woche ein.

Heilfasten

Bitte beachten Sie

Verwechseln Sie unsere Fastenwoche für Gesunde bitte nicht mit dem Heilfasten! Heilfasten bedarf der ab Seite 91 geschilderten Voraussetzungen. Die Fastenwoche ist die kürzeste Zeitspanne, in der man das Phänomen Fasten kennenlernen und eine Ahnung von den Wirkungen eines ausgiebigen Heilfastens (zwei bis vier Wochen) bekommen kann. Sie beginnen am besten mit kleinen Schritten und lassen sich dadurch zu größeren ermutigen.
Für den Einstieg in ein Erstfasten von wenigen Tagen brauchen Sie nur etwas Mut und die Lust am Entdecken.

Fasten
für Gesunde

Wer darf selbständig fasten?

Jeder Gesunde

Jeder, der sich für gesund und leistungsfähig hält, der sich zutraut, Disziplin zu halten und Verzicht zu üben. Auch ältere Menschen, Jugendliche vom 14. Lebensjahr an und Behinderte dürfen zu Hause fasten, wenn ihr Körper normal funktioniert. Gesunde schwangere und stillende Frauen könnten zwar ebenfalls fasten, aber nicht in unserer mit Umweltgiften belasteten Zeit. Solange wir nicht wissen, ob der Entgiftungsvorgang das Baby schädigen kann, sollten Sie lieber fasten, bevor Sie sich ein Kind wünschen oder nach beendetem Stillen.

Wann nicht selbständig fasten?

● Wenn Sie auch nach dem Lesen dieses Buches noch Bedenken dem Fasten gegenüber haben.

● Wenn Sie in einer länger andauernden schwermütigen Verfassung sind oder nervlich labil.

● Wenn Sie nach Krankheit oder Operation noch erschöpft sind.

● Wenn Sie überfordert, erschöpft, nervös und überreizt sind; warten Sie dann, bis es Ihnen besser geht.

● Wenn Sie unter Eßsucht oder Bulimie leiden, sollten Sie nur im Rahmen einer psychotherapeutischen Behandlung fasten.

● Wenn Sie Medikamente einnehmen müssen. Sie gehören dann in eine Fastenklinik oder in die Betreuung eines Fastenarztes.

● Wenn Sie nicht sicher sind, ob Sie noch zu den Gesunden gehören: Lassen Sie sich durch Ihren Hausarzt untersuchen und die »Risikofaktoren« prüfen.

Im Zweifelsfall den Arzt fragen

● Alle, die sich für nicht gesund halten – zum Beispiel einen zu niedrigen oder einen zu hohen Blutdruck haben oder ein chronisches Leiden –, sollten nicht ohne den Rat ihres Arztes fasten (bitte lesen Sie dazu sorgfältig nach über Heilfasten, Seite 91).

Wie am besten fasten?

In der Geborgenheit der Gruppe
● Am leichtesten fastet es sich in einer Gruppe von Gleichgesinnten. Ausgesprochen anregend kann das Fasten werden, wenn es sich dabei um Freunde handelt. Jeder Faster sollte jedoch dabei sein eigenes Zuhause im echten und übertragenen Sinn haben, um allein sein zu können. Die Gruppe sollte sich regelmäßig treffen, Erfahrungen austauschen und gemeinsam etwas unternehmen. In einer Fastengemeinschaft vervielfachen sich Erfahrungen, verdichten sich zwischenmenschliche Beziehungen und gedeiht gegenseitige Hilfe. Für die Fastenwoche kann ein fastenerfahrener Arzt zu Rate gezogen werden (Seite 98). Die Gruppe wird von einer ausgebildeten Fastenleiterin begleitet (Kontaktadressen Seite 105).

Zu zweit
● Für das Fasten gemeinsam mit dem Partner gilt in kleinerem Maßstab das, was für die Gruppe zutrifft: Das Erlebnis und die Erfahrung des gemeinsamen Fastens, die Auseinandersetzung mit sich selbst und dem Partner und die gegenseitige Hilfe können die Beziehung zweier Menschen zueinander vertiefen. Auch hier gilt: Beide Partner sollten die Möglichkeit haben, sich zurückzuziehen – sowohl im echten wie im übertragenen Sinn (»Wie kann der Partner helfen?«, Seite 63).

Im Alleingang
● Schwieriger ist es, allein zu fasten. Fasten im Alleingang setzt ein großes Maß an Disziplin voraus, an Mut, sowie die Fähigkeit, Verzicht leisten zu können und mit sich selbst zurechtzukommen. Ist die Fastenwoche erfolgreich abgeschlossen, so kann der Allein-Faster mit Recht stolz auf sich sein.

Wo und wann am besten fasten?

Überall da, wo Sie sich wohl fühlen, wo es für Sie gemütlich und warm ist, wo Sie sich geborgen fühlen.

Die richtige Umgebung
Das kann zu Hause sein, im Urlaub in einer Ferienwohnung, in der Wohnung von Freunden, in einer Berghütte, auf einem Segelboot oder in Ihrer Gartenhütte.

Überall da, wo es für Sie schön ist, wo Sie Ihren bevorzugten Sport ausüben können, wo Sie faulenzen können, wenn Ihnen danach ist – kurz: In der Umgebung, die Ihnen am meisten zusagt.

Überall da, wo Sie Ruhe haben und in Ruhe gelassen werden.

Keine Hetze, kein Termin-
druck! Ein Fastender hat häufig
das Bedürfnis, sich wie in ein
Schneckenhaus zurückzuziehen.

Fasten zu Hause

Wenn Sie zu Hause fasten wollen, müssen Sie sich klar darüber werden, daß dort alle alten Eß- und Trinkgewohnhei-
Hindernisse ten lauern. Sie wohnen in den
im häus- Gegenständen, in den Men-
lichen Alltag schen um Sie herum.
Wie jeder von uns, sind auch
Sie durch tausend unsichtbare
Fäden mit Ihrer gewohnten
Umgebung verbunden: mit Küche, Keller, Kühlschrank, Eß-
tisch, Hausbar.
Das größte Hindernis beim Fasten zu Hause – auch das sollten Sie bedenken – sind Besser-
wisserei und Vorurteile der lieben Nachbarn oder Anverwandten,
die Sie mit ihren »guten« Ratschlägen ungefragt versorgen. Von allen Seiten tönt es: »Da hab' ich neulich in der Zeitung gelesen...« –
»Nimm doch... das kann bestimmt nicht schaden!« – »Du wirst
noch verhungern, wenn Du so weitermachst!« – Und Sie, der ge-
quälte Faster, Sie versuchen verzweifelt, sich in Abgeschiedenheit
und Stille zu flüchten. Die kochende Hausfrau oder die hungrig
von der Schule heimkommenden Kinder stören den stillen Faster
viel weniger als all das, was ich Ihnen – bewußt so ausführlich –
gerade aufgezählt habe.

■ Zusammenfassend ist zu sagen: Zu Hause ist nicht unbedingt der
beste Ort zum Fasten – aber fasten Sie da, wo es für Sie am gemüt-
lichsten und schönsten ist, wo Sie sich wohl fühlen, wo Sie geborgen sind. Wenn diese Voraussetzungen bei Ihnen zu Hause erfüllt
sind, dann fasten Sie dort – es wird Ihnen dann auch gelingen.

**Ob Sie im
Urlaub oder
zu Hause
fasten –
wichtig ist,
daß Sie Zeit
und Muße
haben, körper-
lich und
geistig
»umzuschal-
ten«!**

Fasten im Urlaub

Planen Sie Ihre Fastenwoche frühzeitig ein. Ideal ist es, wenn Sie sich in der Zeit freinehmen können. Ist das nicht möglich, dann versuchen Sie wenigstens, die Fastenwoche in eine Zeit zu legen, in der Sie beruflich nicht überbeansprucht sind und sich von gesellschaftlichen Verpflichtungen freihalten können.

Rechtzeitig planen

Fasten und frei sein – das gehört eigentlich zusammen. Gemeint ist frei sein von den Zwängen und Verpflichtungen eines anstrengenden Alltags, frei von Hektik, Lärm und Gestank.

Fasten-Ferien ■Machen Sie Fasten-Ferien! Erfahrene Faster wissen, daß es sich am besten im Urlaub fastet. Für das Nervensystem bedeutet das: Umschalten von Daseinskampf auf Erholung; eine wichtige Voraussetzung für richtiges Fasten und die beste Garantie, daß Fasten gelingt.

Fastenwochen für Gesunde

In Kursform und unter Führung von ausgebildeten Fastenleitern finden im deutschsprachigen Raum Fastenwochen für Gesunde statt. Für Erstfaster sind sie wegen der umfassenden Information und der bergenden Fastengemeinschaft besonders zu empfehlen. Erwachsenenbildung und Selbsterfahrung werden angeboten durch Zusatzprogramme, die unter fachkundiger Führung mehr Lebensqualität vermitteln: Körpergespür, Kreativität, bewußt essen lernen, Entspannung, Meditation, Selbsthilfe aus der Apotheke der Natur und vieles andere.

Fastenkurse

Fordern Sie Prospekte an; Kontaktadressen finden Sie auf Seite 105.

Fasten im Alltag

Auch im Alltag kann man fasten. Ich kenne viele Menschen, die es regelmäßig tun. Sie berichten, daß der aktive Alltag besonders gut vom Wunsch nach Essen ablenkt. Fasten im beruflichen Alltag erfordert allerdings mehr Disziplin und innere Sicherheit. Wer Fasten in irgendeiner Form schon einmal erlebt hat, weiß, was er sich zumuten kann. Für ein erstes Fasten ist der Urlaub zweifellos besser geeignet. Wer im Alltag fasten will, muß wissen, daß er eine Form des erschwerten Fastens wählt.

Beruf und Fasten

Abgesehen von den vielen Versuchungen, denen Sie dabei ausgesetzt sind, und den Verunsicherungen durch die Kollegen, gibt es andere Gefahren, vor denen ich warnen muß:

Das sollten Sie zuvor bedenken

● Das »Innentempo« ist im Fasten verlangsamt; alles braucht mehr Zeit.

● Der Kreislauf ist nicht so stabil wie sonst. Zwar meist nur für wenige Stunden am Tage. Wenn's aber gerade dann darauf ankommt?

● Fastende sind in der Regel empfindsamer und damit schutzloser gegen häßliche Angriffe, wehrloser gegen Ungerechtigkeiten.

● Autofahrer müssen wissen, daß ihre Reaktionsfähigkeit und Konzentration herabgesetzt sein können.

Bitte beachten Sie

Wann Sie nicht fasten dürfen

Auf keinen Fall im Alltag fasten sollten Sie, wenn Sie einen Beruf ausüben, der Sie stark fordert, wenn Sie im Beruf für das Wohl anderer Menschen verantwortlich sind oder wenn Sie mit Maschinen umgehen müssen und dadurch unfallgefährdet sind (Beispiele: Dreher, Taxi- oder Busfahrer, Kranführer, Dachdecker, Piloten).

Wer kann Sie beim Fasten beraten?

Den Arzt fragen ▶ Wenn Sie das Gefühl haben, nicht ganz gesund zu sein, sprechen Sie vorher mit Ihrem Arzt. Verlangen Sie von ihm nicht Fastenerfahrung, aber eine Aussage über Ihren Gesundheitszustand, eventuell auch über die Wirksamkeit von Medikamenten bei Nahrungsverzicht.

Während der Fastenwoche stehen Ihnen alle fastenerfahrenen Ärzte gern mit Rat zur Seite (Liste Seite 98), soweit es ihre Zeit erlaubt. Bevor Sie anrufen: Versichern Sie sich bitte, ob Ihre Frage nicht im Fastenbuch bereits beantwortet ist (Sachregister, Seite 109).
Umfassend beraten werden Sie von ausgebildeten Fastenleitern bei den »Fastenwochen für Gesunde« (Seite 23).
Aber auch jeder, der schon einmal gefastet hat, kann Gesunden bei einem Erstfasten Hilfe und Stütze sein. Es ist eine Frage des gegenseitigen Vertrauens. Das Wichtigste ist der Erfahrungsaustausch; es **Erfahrungs-** ist gut, mit dem Gefühl fasten zu können: Da ist einer, der kennt **austausch** es und kann mir notfalls helfen (»Wie kann der Partner helfen?«, Seite 63).

Über die Fastenwoche

Für Erstfaster Als Erstfaster sollten Sie sich nicht mehr vornehmen als die in diesem Ratgeber vorgeschlagene Woche: ein Tag zur Entlastung, fünf Tage zum Fasten, zwei Tage für Fastenbrechen und Kostaufbau. »Die Fastenwoche auf einen Blick« (Seite 26 und 27) ist der Wegweiser, an dem Sie sich immer wieder schnell orientieren können. Am besten beginnen Sie Ihre Fastenwoche an einem Samstag; dann haben Sie eine »runde« Woche vor sich, in der Sie sich nur um sich selbst kümmern. Bei einem zweiten oder dritten Mal, vorausgesetzt, Sie sind gesund und fühlen sich wohl, können Sie **Wichtig:** länger fasten – bitte planen Sie dann auch mehr Aufbautage ein **die Aufbau-** (Seite 77); Fastenbrechen und Kostaufbau brauchen ebenso viel **tage** Sorgfalt und Aufmerksamkeit wie das Fasten.

Die Fastenwoche auf einen Blick

	Aufnahme	Ausscheidung	Bewegung/Ruhe	Körperpflege	Bewußtes Erleben
Entlastungstag	Zum Beispiel so:				
Früh	Obst und Nüsse oder Birchermüsli	weiche Darmfüllung durch Ballaststoffe in der Nahrung, Lein- samen oder Weizen- kleie, reichliches Trinken	auslaufen – frische Luft genießen, zur Ruhe kommen	Bad nehmen, Wäschewechsel, entspannen	sich ablösen vom Alltag
Mittag	Rohkostplatte, Kartoffeln, Gemüse, Quarknachspeise				
Nachmittag	1 Apfel, 10 Haselnüsse				
Abend	Obst oder Obstsalat (mit Leinsamen oder Weizenkleie), 1 Joghurt, Knäckebrot, reichliches Trinken				
Erster Fastentag					
Früh	Morgentee Glaubersalz (mit Zitrone) oder Einlauf	Auftakt zum Fasten: *gründliche Darm- entleerung*	gewohnte Morgen- bewegung, zu Hause bleiben	ausschlafen, Füße warm	Ausfuhr statt Einfuhr
Vormittag	Wasser oder Tee nach- trinken				
Mittag	Gemüsebrühe oder Gemüsecocktail	Leber entgiftet besser im Liegen	Mittagsruhe, kleiner Spaziergang	Leibwärme, Leber- packung	wohlige Wärme genießen
Nachmittag	Früchte- oder Kräuter- tee (½ Teel. Honig)				
Abend	Obstsaft, Gemüsesaft oder Gemüsebrühe			früh zu Bett	
Zweiter Fastentag					
Früh	Morgentee ½ Teel. Honig	Nieren und Gewebe durchspülen: mehr trinken als sonst	dehnen, strecken, Morgenspaziergang	Kaltreiz fürs Gesicht, Luftbad und Haut frot- tieren	müde sein dürfen, loslassen, sich frei fühlen von Hunger
Vormittag	Wasser zwischendurch				
Mittag	Gemüsebrühe oder Gemüsecocktail	Urinfarbe hell? sonst mehr trinken	Mittagsruhe	Leibwärme, Leberpackung, warme Hände, warme Füße, weder Vollbad noch Sauna	
Nachmittag	Früchte- oder Kräuter- tee (½ Teel. Honig)		zügiger Spaziergang		
Abend	Obstsaft, Gemüsesaft oder Gemüsebrühe				
Dritter Fastentag					
Früh	Morgentee (½ Teel. Honig)	abführen! *Einlauf* jeden zweiten Tag (notfalls Bittersalz) spontanen Stuhlgang fördern durch Molke oder Sauerkrautsaft	Teppichgymnastik, Bewegungsdrang nach- kommen, aber maßvoll	Wechseldusche, bürsten und ölen	die Lebensgeister erwachen, was braucht mein Körper? wonach hungert meine Seele?
Vormittag	Wasser zwischendurch				
Mittag	Tomatenbrühe		Mittagsruhe	Leibwärme, Leberpackung	
Nachmittag	Früchte- oder Kräuter- tee				
Abend	Obstsaft, Gemüsesaft oder Gemüsebrühe		die Nacht »positiv gestalten«		

	Aufnahme	Ausscheidung	Bewegung/Ruhe	Körperpflege	Bewußtes Erleben
Vierter Fastentag					
Früh	Morgentee	Stuhlgang spontan? (dies ist selten) Urinfarbe hell? sonst mehr trinken, Schweiß- und Mundgeruch übel – ist normal	aktiv werden, wandern, Sport treiben und körperliche Arbeit im Wechsel mit Entspannung und Ruhe	tautreten oder schneelaufen, schwitzen, duschen – ölen – entspannen im Liegen, stabil genug für Sauna oder Vollbad; Nachruhe einplanen	den Morgen genießen und die frische Luft, Bewegung sättigt und befriedigt, wohlige Wärme durchgearbeiteter Glieder
Vormittag	Wasser zwischendurch				
Mittag	Karottenbrühe				
Nachmittag	Früchte- oder Kräutertee				
Abend	Obst- oder Gemüsesaft oder Gemüsebrühe				
Fünfter Fastentag					
Früh	Morgentee	Darm reinigen: *Einlauf* (notfalls Bittersalz), eventuell Molke oder Sauerkrautsaft	Bewegungsbedarf sättigen, Tempo der Fastensituation anpassen, Behinderungen nicht überspielen	bürsten – duschen – ölen	»stolz wie ein König« einkaufen für den Kostaufbau, freuen am Nichthaben-Müssen
Vormittag	Wasser zwischendurch				
Mittag	Selleriebrühe			warme Füße, Leberpackung,	
Nachmittag	Früchte- oder Kräutertee				
Abend	Obstsaft, Gemüsesaft oder Gemüsebrühe			Vorbereitung auf die Nacht, Schlafhilfen	
Erster Aufbautag					
Früh	Morgentee	behutsam an Nahrungsaufnahme gewöhnen, Ausscheidung ist weiter wichtig: Darm mit Quellstoffen füllen, reichlich trinken	Morgengymnastik oder -sport *vor* dem Fastenbrechen, Spaziergang	Kneipp: Kaltreiz ist Lebensreiz	Essen: heute wichtiger als alles andere! der Apfel und alle Mahlzeiten im Mittelpunkt meiner Aufmerksamkeit – wenig ist viel
Vormittag	Fastenbrechen: 1 gut reifer Apfel (oder Apfel gedünstet)				
Mittag	Kartoffel-Gemüse-Suppe		Mittagsruhe, »Schongang«	1–2 x täglich liegen! Leberpackung, bei Völlegefühl: Prießnitz-Leibauflage	
Nachmittag	trinken wie bisher				
Abend	Tomaten- oder Spargelsuppe, Buttermilch mit Leinsamen, Knäckebrot; Trockenobst einweichen				
Zweiter Aufbautag					
Früh	Morgengetränk Backpflaumen, Weizenschrotsuppe	Gewichtsanstieg in Kauf nehmen (ist normal), Darmentleerung spontan? Leinsamen und trinken! ½ Einlauf bei vergeblichem Stuhldrang, sonst warten bis zum dritten Aufbautag	Aufbauflauten in Kauf nehmen, Spaziergang	Kreislauf in Gang bringen: bürsten und frische Luft, Wechseldusche; gegen Kopfleere hilft Liegen, weder Sauna noch Vollbad	»satt«? »voll«? zufrieden, befriedigt, gesättigt
Vormittag	Wasser zwischendurch				
Mittag	Salat, Kartoffeln, Gemüse, Bioghurt		»Nach dem Essen ruh oder 1000 Schritte tun.« Anstrengungen meiden		
Nachmittag	Kräutertee				
Abend	Rohkost, Getreide, Gemüsesuppe, Dickmilch, Leinsamen, Knäckebrot				

Das selbständige Fasten

Fasten ist nicht Hungern, es hat nichts zu tun mit Entbehrung oder Mangel. Fasten heißt: Nichts essen, nur trinken – Tees, Gemüsebrühen, Obstsäfte, Gemüsesäfte, Wasser. Schon während der ersten Tage schaltet der Körper um und lebt während des Fastens aus seinen Depots; Hungergefühle treten nicht auf. So fällt es leicht, sich vom Alltag zu lösen, das zu tun, was Spaß macht, wonach der Körper verlangt – und das bedeutet auch, die Selbstreinigung anzuregen, zu fördern und zu pflegen.

Das Fasten richtig vorbereiten

Reinen Tisch machen

Erledigen Sie alle lästigen Arbeiten und noch ausstehende Verpflichtungen.

Essen und trinken Sie wie sonst auch. Nicht noch einmal »richtig den Bauch vollschlagen« – warum auch? Oder haben Sie vielleicht Angst?

Hilfen Verschenken Sie die restlichen Essensvorräte – oder sorgen Sie dafür, daß sie gut verschlossen sind (den Schlüssel geben Sie sicherheitshalber Bekannten zur Aufbewahrung).

Bereitlegen

- Etwas wärmere Kleidung als üblich,
- genügend Unterwäsche für häufigeren Wechsel als sonst,
- Sportzeug,
- Wärmflasche,
- Einlaufgefäß (Irrigator) mit Darmrohr oder Klistiergummiball,
- Hautöl,
- Trockenbürste,
- Leinenhandtuch.

Einkaufen

Sie benötigen für die ersten sechs Tage:

- 3 Pfund Obst für den Obsttag oder Rohgemüse für den Rohkosttag oder 150 g Vollreis für den Reistag,
- ½ Pfund Leinsamen, geschrotet (beispielsweise Linusit),
- 5–10 Flaschen »stilles« Mineralwasser – nicht nötig, wenn Sie gutes Quell- oder Leitungswasser haben,
- 15 Beutel Kräutertee, verschiedene Sorten (Seite 37), besser sind meist der nicht abgepackte Tee – oder frische Teeblätter aus dem Garten; milden Schwarztee oder Ginseng-Tee, wenn Sie zu Niederdruck neigen,
- 2 große Flaschen Obstsaft (1½ Liter – Ihre Lieblingssäfte) oder 5 kleine Flaschen (je 0,3 l – 5 verschiedene Sorten),
- Gemüse und Gewürze für die Gemüsebrühe (Seite 32),
- 2 große Flaschen Gemüsesaft (1½ Liter, zum Beispiel Gemüsecocktail von Eden oder

Der Einkaufszettel

Bereiten Sie sich gut vor, und besorgen Sie alle Zutaten und Utensilien für die ersten sechs Tage am Vortag des Entlastungstags.

Fastenkur-Trunk von Schoenenberger) oder
5 kleine Flaschen (für jeden Tag etwas anderes),
• 1 Flasche Sauerkrautsaft.
Am besten lassen Sie sich im Reformhaus zeigen, was biologisch hochwertig und vitaminreich, jedoch wenig gesüßt ist.
• 5 Zitronen (sie sollten ungespritzt sein),
• 40 g Glaubersalz aus der Apotheke, exakt abgewogen,
• 30 g Bittersalz (für zwei Portionen) aus der Apotheke, falls Sie den Einlauf scheuen (Seite 42),

• Einlaufbehälter/-beutel, Schlauch und ein 30 cm langes Darmrohr mit Zwischenstück (sollte in keinem Haushalt fehlen).

Das Einkaufen für die Aufbautage sollten Sie auf den letzten Fastentag verschieben. Es macht Spaß, im Fasten einzukaufen, und erhöht zudem die Vorfreude auf den ersten Essenstag (Seite 70).

Einkaufen für die Aufbautage

Rezepte für den Entlastungstag

An Ihrem Entlastungstag können Sie das zu sich nehmen, was im Überblick »Die Fastenwoche auf einen Blick« (Seite 26) beispielhaft zusammengestellt ist.
Sie können Ihre Entlastung auch auf etwas strengere Weise durchführen. Ich stelle Ihnen drei Beispiele von strengeren Formen des Entlastungstages für Übergewichtige vor, sie sollen Ihnen zeigen, wie Sie auch später einmal schnell zwei bis drei Pfund verlieren und sich von erhöhtem Blut- oder Herzdruck entlasten können:

Entlastungs-tage für Über-gewichtige

Obsttag

3 Pfund Obst verschiedener Art, auch Beerenobst, auf drei Mahlzeiten verteilt. Gut kauen!

Reistag

3 x 50 g Reis, am besten Vollreis, ohne Salz, nur mit Wasser gekocht; früh und abends mit gedünsteten Äpfeln oder Apfelmus ohne Zucker; mittags mit 2 gedünsteten Tomaten, gewürzt mit Kräutern.

Rohkosttag

Früh Obst, Obstsalat oder Bircher Müsli; mittags und abends Rohkostplatte: Blattsalate, geraspelte Wurzelgemüse, Sauerkraut – nichts mit Mayonnaise angemacht, sondern mit einer Salatsauce aus Öl, Zitrone, Gewürzen.

Rezepte für Fastengetränke

Kartoffelbrühe

Sie brauchen für 4 Portionen:
1 l Wasser · 250 g Kartoffeln · 2 Karotten · ½ Stange Lauch · etwas Petersilienwurzel · ¼ Knolle Sellerie · je ½ Teelöffel Kümmel und Majoran · 1 Prise Meersalz · etwas Vitam-R oder Cenovis flüssig oder »Gemüsebrühe« · 1 Prise frisch gemahlene Muskatnuß · 2 Teelöffel Hefeflocken · 4 Teelöffel frisch gehackte Petersilie

Die Kartoffeln und das Gemüse gut waschen, ungeschält kleinschneiden. Das Wasser zum Kochen bringen, die Kartoffeln und das Gemüse zufügen und darin zugedeckt 10 bis 20 Minuten garkochen (Kochzeit im Dampfdrucktopf 5 bis 7 Minuten). Die Suppe vom Herd neh-

men, durch ein Sieb streichen, die leicht sämige Brühe mit den Gewürzen abschmecken, die Hefeflocken und die Petersilie darüberstreuen.
● **Mein Tip:** Sie können die Brühe auch mit Dill, Basilikum oder Liebstöckel würzen.

Karottenbrühe

Sie brauchen für 4 Portionen:
1 l Wasser · 250 g Karotten · ½ Stange Lauch · etwas Petersilienwurzel und Sellerie · 1 Prise Meersalz · etwas Vitam-R oder Cenovis flüssig oder »Gemüsebrühe« · 1 Prise frisch gemahlene Muskatnuß · 2 Teelöffel Hefeflocken · 4 Teelöffel frisch gehackte Petersilie

Das Gemüse gut waschen, ungeschält kleinschneiden. Das Wasser zum Kochen bringen, das Gemüse zufügen und darin 10 bis 20 Minuten garkochen (Kochzeit im Dampfdrucktopf 5 bis 7 Minuten). Die Suppe vom Herd nehmen, durchseihen, die Brühe mit den Gewürzen abschmecken, die Hefeflocken und die Petersilie darüberstreuen.

Selleriebrühe

Sie brauchen für 4 Portionen:
1 l Wasser · 250 g Sellerieknolle · etwas Lauch und Karotte · je ½ Teelöffel Kümmel und Majoran · etwas Vitam-R oder Cenovis flüssig oder »Gemüsebrühe« · 1 Prise frisch gemahlene Muskatnuß · 2 Teelöffel Hefeflocken · 4 Teelöffel frisch gehackte Petersilie

Das Gemüse gut waschen, ungeschält kleinschneiden. Das Wasser zum Kochen bringen, das Gemüse zufügen und darin 10 bis 20 Minuten garkochen (Kochzeit im Dampfdrucktopf 5 bis 7 Minuten). Die Suppe vom Herd nehmen, durchseihen, die Brühe mit den Gewürzen abschmecken, die Hefeflocken und die Petersilie darüberstreuen.
● **Mein Tip:** Sie können die Brühe auch mit Basilikum oder Liebstökel würzen.

Vorschläge für Gemüsebrühen

Tomatenbrühe

Sie brauchen für 4 Portionen:
1 l Wasser · 500 g Tomaten · 1 Knoblauchzehe · etwas Lauch, Sellerie, Karotte · 1 Prise Meersalz · etwas Vitam-R oder Cenovis · 1 Prise frisch gemahlene Muskatnuß · 2 Teelöffel Hefeflocken · 2 Teelöffel Oregano oder Majoran

Das Fasten richtig vorbereiten

Die Tomaten gut waschen, von den Stielansätzen befreien und würfeln. Die Knoblauchzehe schälen und ebenfalls kleinschneiden. Das restliche Gemüse gut waschen, ungeschält kleinschneiden. Das Wasser zum Kochen bringen, die Tomaten, die Knoblauchzehe, das Gemüse zufügen und darin 10 bis 20 Minuten garkochen (Kochzeit im Dampfdrucktopf 5 bis 7 Minuten). Die Suppe vom Herd nehmen, durchseihen, die Brühe mit den Gewürzen abschmecken, die Hefeflocken darüberstreuen.
● **Mein Tip:** Je nach Geschmack können Sie die Brühe mit Tomatenmark würzen.

Haferschlein

Für Magenempfindliche

Sie brauchen für 1 Portion:
½ l Wasser · 3 Eßlöffel Haferflocken

Die Haferflocken in dem Wasser zum Kochen bringen, 5 Minuten kochen lassen, vom Herd nehmen. Die Masse durch ein Sieb streichen. Den Schleim schluckweise trinken.
● **Mein Tip:** Je nach Geschmack können Sie den Haferschleim mit wenig Salz, Hefeextrakt, Honig, Gemüse- oder Obstsaft würzen.

Reisschleim

Sie brauchen für 1 Portion:
½ l Wasser · 3 Eßlöffel Reis

Den Reis in dem Wasser zum Kochen bringen, 20 Minuten (je nach Sorte) weichkochen lassen, vom Herd nehmen. Die Masse durch ein Sieb streichen. Den Schleim schluckweise trinken.
● **Mein Tip:** Je nach Geschmack können Sie den Reisschleim mit wenig Salz, Hefeextrakt, Honig, Gemüse- oder Obstsaft würzen.

Leinsamenschleim

Sie brauchen für 1 Portion:
½ l Wasser · 15 bis 20 g Linusit

Das Linusit in dem Wasser zum Kochen bringen, 5 Minuten kochen lassen, vom Herd nehmen. (Sie nehmen am besten ein hohes Gefäß, weil Linusit beim Kochen überschäumt.) Das Gefäß einige Minuten stehen lassen, danach den Schleim abschöpfen und schluckweise trinken.
● **Mein Tip:** Je nach Geschmack können Sie den Leinsamenschleim mit wenig Salz, Hefeextrakt, Honig, Gemüse- oder Obstsaft würzen.

Die Fastenwoche

Der Entlastungstag

Weniger essen

▶ Entlasten heißt diätetisch *und* seelisch-geistig entlasten. *Wenig und einfach essen!* So, daß Sie gerade eben satt werden. Dazu reichlich Rohkost oder Obst. Günstig: 3mal einen Eßlöffel Leinsamen dazuessen – am besten mit Joghurt oder Apfelmus. Der Leinsamen quillt auf und bindet mit seinem feinen Schleim Schmutz und Giftstoffe im Darm. Drei Beispiele für strengere Formen des Entlastungstages finden Sie auf Seite 32.

▶ Entlasten heißt auch: Seelische Last abwerfen, Hektik abbauen, Spannung loslassen, zu sich kommen.

▶ Wenn Sie im Urlaub fasten, sollten Sie den Entlastungstag nutzen, um erstmal »anzukommen«, Sie sollten sich's gemütlich machen, bummeln gehen oder – sofern Sie müde sind – einmal richtig ausschlafen. Der Einstieg ins Fasten gelingt Ihnen nach einem solchen Entspannungstag ungleich besser, als wenn Sie Ihren streßgeplagten Körper »von jetzt auf gleich« zum Umschalten bewegen wollen.

Zigaretten und Alkohol – Stop!

▶ Nehmen Sie Abschied von der Zigarette, von Alkohol, Kaffee und Süßigkeiten. Bitte ohne Torschlußpanik – nüchtern und bestimmt: »Ade, ihr Lieben – bis nächste Woche!«

▶ Lesen Sie, was Sie noch vom Fasten wissen wollen, oder nehmen Sie Kontakt mit Erfahrenen auf. Beginnen Sie schon heute Ihr »Fastenprotokoll« (Seite 55). Die innere Umschaltung von Essen auf Fasten hat bereits begonnen

Ein paar Gedanken am Abend helfen Ihnen

Sich selbst gut zureden hilft

Ich habe mich zum Fasten entschlossen; ich weiß, daß ich es kann.
Der Alltagstrubel liegt hinter mir.
Ich habe endlich Zeit für mich.
Hier bin ich geborgen, hier fühle ich mich wohl.

Alles, was ich brauche, ist da: ein warmes Zuhause, Säfte, Wasser – und die gut gefüllte Speisekammer in mir selbst. Ich bin neugierig, wohin die Reise geht – ich bin voller Vertrauen, daß es eine gute Reise wird. Die Natur führt mich, auf sie kann ich mich verlassen.

Der erste Fastentag

Der Einstieg ins Fasten gelingt erfahrungsgemäß am besten mit einer gründlichen Entleerung des Darms. Das ist bei **Wichtig: Darmentleerung** Menschen, deren Stuhlgang normalerweise gut funktioniert, unproblematisch und bedarf nur kleiner Hilfen: 1 Glas ($^1/_8$ l) Sauerkrautsaft, Molke oder Buttermilch, morgens getrunken, fördert die Darmentleerung.
70 Prozent aller Bundesbürger jedoch neigen zur Verstopfung; wenn Sie dazugehören, brauchen Sie unbedingt mehr. Folgende Methoden der Darmentleerung haben sich im Fasten bewährt:

▶ Wer Übergewicht hat oder an Verstopfung leidet, sollte 40 g Glaubersalz in ¾ l Wasser auflösen, die Lösung innerhalb von 15 Minuten trinken (Nor-

malgewichtige: 30 g Glaubersalz auf ½ l Wasser). Geben Sie einige Spritzer Zitronensaft dazu. Trinken Sie vorher, zwischendurch und hinterher Pfefferminztee, um den Salzgeschmack zu vertreiben. Innerhalb der nächsten 1 bis 3 Stunden erfolgen mehrere durchfallartige Entleerungen. Sie können gelegentlich bis zum Nachmittag anhalten. Deshalb in der Nähe einer Toilette bleiben.

»Glaubern« nur zum Einstieg

▶ Wenn Sie magen- oder darmempfindlich sind und zu Leibweh neigen, sollten Sie Glaubersalz meiden. Das gilt auch für hagere, schlanke Menschen. Machen Sie statt dessen einen Einlauf (Seite 42), er ist ebenso wirksam, aber schonender.

Einlauf für Schlanke

■ Wichtig: Sollte es ein wenig Bauchkneifen geben – ins Bett legen, Wärmflasche auf den Leib. Achten Sie darauf, daß Ihre Füße warm sind – auch hier hilft eine Wärmflasche. Ihren Durst stillen Sie mit reichlich Pfefferminztee oder mit reichlich Wasser.

▶ Frauen, die gewohnt sind, morgens die Pille zu nehmen, sollten die Pilleneinnahme bis 3 Stunden nach dem »Glaubern« verschieben. Diese Vor-

Pilleneinnahme

sichtsmaßnahme ist notwendig, weil es durch die Wirkung des Glaubersalzes vorzeitig zu einer Magenentleerung kommen könnte. Bei Anwendung des Einlaufes ist eine Verschiebung der Pilleneinnahme nicht nötig.

Umschalten auf Fasten

Mit der gründlichen Darmreinigung beginnt das Fasten.

Der Körper schaltet von »Aufnahme« auf »Ausscheidung« um. Die Ernährung von innen beginnt, der Hunger verschwindet. Sie leben jetzt aus sich selbst.

▶ An diesem Tag bleiben Sie besser daheim. Legen Sie sich hin, wenn Ihnen danach zumute ist, lesen Sie, faulenzen Sie. Machen Sie am Nachmittag vielleicht einen kleinen Spaziergang, muten Sie sich aber keine großen Anstrengungen zu. Nehmen Sie kein heißes Bad, und gehen Sie nicht in die Sauna.

Das dürfen Sie im Fasten zu sich nehmen

Morgens: 2 Tassen Kräutertee (Kamille, Malve, Rosmarin oder Melisse) oder milden Schwarztee mit Zitrone, auch Ginseng-Tee, eventuell ½ Teelöffel Honig in den Tee.

Zwischendurch: Reichlich Wasser oder Mineralwasser. Gelegentlich 1 Zitronenschnitz aussaugen.

Mittags: ¼ l Gemüsebrühe, selbst zubereitet in 4 Varianten (Rezepte Seite 32) oder Gemüsefrischsaft, zu ¼ l mit Wasser aufgefüllt oder Gemüsesaft aus der Flasche, mit Wasser stark verdünnt, nach Wahl kalt oder heiß.

Nachmittags: 2 Tassen Früchtetee (Hagebutte, Fenchel oder Apfelschalen) oder milden Schwarztee (nicht nach 16 Uhr) mit Zitrone und/oder ½ Teelöffel Honig, soweit gewünscht.

Abends: ¼ l Obstsaft nach Geschmack, mit Mineralwasser verdünnt, nach Wahl kalt oder heiß, oder Gemüsesaft oder Gemüsebrühe

▶ Alle Fastengetränke schluckweise trinken! Jeden Schluck »kauen« – das heißt: im Mund vorwärmen oder kühlen. Genießen! Langsam trinken! Fastengetränke liefern Vitamine und Mineralien, alka-

Richtig trinken

lische Stoffe und leicht aufschließbare Kohlenhydrate, die die Fastenacidose (-übersäuerung) ausgleichen.

Viel Wasser trinken

▶ Zusätzlich Wasser oder Mineralwasser nach Durstgefühl trinken – eher über den Durst hinaus als zu wenig. Wasser ist ein wichtiges Lösungs- und »Spülmittel« für den entgiftenden Körper.

Säfte verdünnen

▶ Gemüse- und Obstsäfte sind zu konzentriert; man verdünnt sie deshalb mit Wasser. Wer sie nicht gut verträgt, rührt 1 Teelöffel Leinsamen hinein; die feinen Schleimstoffe des Leinsamens binden Frucht- und Gemüsesäuren.

Schleimfasten

▶ Magenempfindliche fasten vorzüglich mit Hafer-, Reis- oder Leinsamenschleim (Rezepte Seite 34). Bei Magenbeschwerden hilft schon ein Schluck dünnflüssiger Schleim; auch nachts oder morgens früh (eine Thermosflasche empfiehlt sich zum Warmhalten).

Der zweite Fastentag

An diesem zweiten Fastentag finden gelegentlich noch Umschaltvorgänge statt.

Hungerreste

● Es kann Hungerreste geben – ½ Glas Wasser vertreibt sie. (Keine Appetitzügler!)

Blutdruckabfall

● Der übliche Blutdruckabfall könnte noch nicht ganz abgefangen sein. Ein flaues Gefühl oder gelegentlicher Schwindel sind harmlos und gehen rasch vorüber. Spazierengehen an frischer Luft, kaltes Wasser mit den Händen ins Gesicht schwemmen – beides hilft schnell. Notfalls kurz hinlegen.

Schmerzen

● Kopf-, Glieder- und Kreuzschmerzen treten nicht selten zu Beginn einer Fastenwoche auf; die Entwässerung verspannter und verschlackter Muskeln kann Schmerzen, Ziehen oder Unruhe hervorrufen. Feucht-heiße Packungen, beispielsweise ein Säckchen mit zerdrückten Pellkartoffeln, auf Nacken, Kreuzbein oder Gelenk, helfen rasch. Auch eine kalte Prießnitz-Auflage (Seite 50) wird Erleichterung bringen. Der Einlauf (Seite 42) und ein »ansteigendes Fußbad« (Seite 52) sind ebenfalls wichtige Hilfen.

● Manche Menschen bekommen einen seelischen Kater, andere wieder werden von Zweifel befallen, ob sie sich nicht doch zu viel zugemutet haben. Kater und Zweifel sind wie weggeblasen, wenn Sie das tun, was Ihnen in solchen Situationen am besten hilft. Zwingen Sie sich zu nichts – aber lassen Sie sich auch nicht zu sehr in Ihre Sorgen hineinfallen. Und: Machen Sie an diesem zweiten Fastentag sicherheitshalber noch einen großen Bogen um Restaurants und Lebensmittelläden!

Zweifel

> Trinken Sie mehr Wasser, als der Durst verlangt.

▶ Sollten Sie noch mit wirklich quälendem Hunger zu kämpfen haben, führen Sie morgens noch einmal gründlich ab mit einem knappen Eßlöffel Glauber- oder Bittersalz, aufgelöst in einem großen Glas warmem Wasser, oder trinken Sie einige Schlucke Buttermilch. Auch der bewährte Einlauf hilft.

Noch Hunger?

Vom dritten Fastentag an

Vom dritten Fastentag an werden Sie stabiler, sicher und zuversichtlich sein. Sie erleben, wie lückenlos die Innensteuerung funktioniert, wie komplikationslos sich der Körper auf diese neue Lebensform eingestellt hat. Sie können jetzt – wie ein normal ernährter Mensch – alles tun, was Sie gern machen.

Die Ernährung von »innen«

▶ Mindestens am dritten und fünften Fastentag ist eine Darmreinigung durch den Einlauf fällig, denn der Darm arbeitet meist nicht von selbst weiter, und wenn, dann oft ungenügend (siehe auch Seite 41). Wer mit Verstopfung oder Magen-Darm-Störungen zu tun hat, fastet besser und beschwerdefreier mit täglichen Einläufen.

Wichtig: der Einlauf

Die Aufbautage sind ebenso wichtig wie die Fastentage; sie bedürfen der gleichen Sorgfalt (Seite 70).

Richtig fasten – leicht gemacht

Das Aufstehen am Morgen

Der Kreislauf des Fastenden und die Muskeln funktionieren zwar normal, aber nicht ganz so schnell wie sonst. Wer morgens unvermittelt aus dem Bett springt, kann sich mit Schwindel, Schwarzwerden vor den Augen, Schwäche oder Übelkeit bald wieder im Bett liegend finden.

Den Kreislauf anregen

▶ **Machen Sie es anders**
● Noch im Bett: räkeln – strecken – dehnen – gähnen – so wie Hunde und Katzen es tun.
● Zunächst auf den Bettrand setzen, dann erst aufstehen.
● Kaltes Wasser ins Gesicht.
● Ruhigen Gang durch die frische Morgenluft; durch die Nase atmen.

Drei Tips für den Morgen

Für jeden, der etwas mehr für sich tun möchte, oder der einen zu niedrigen Blutdruck hat:

▶ **Wie es Kneipp gelehrt hat**
Den ganzen Körper von oben bis unten kalt abwaschen, danach – unabgetrocknet – rasch wieder ins Bett.
Oder kurz kalt duschen, abtrocknen, danach ins Bett zurück.
Oder nach einer heißen Dusche Arm- und Gesichtsguß mit kaltem Wasser – bei den Fingerspitzen beginnend bis zum Ellenbogen, dann drei Hände voll Wasser ins Gesicht.
Oder Tau- beziehungsweise Schneelaufen und für zehn Minuten wieder ins Bett zurück; das prickelnde Warmwerden genießen.

Wasserreize

▶ **Fünf Minuten Morgengymnastik**
Kein Leistungsturnen, sondern die müden Glieder aufwecken, alle Muskeln dehnen, die steifen Gelenke lockern, die starre Wirbelsäule zurechtpendeln, den lahmen Kreislauf ankurbeln und dabei das Gemüt vielleicht mit Musik aufhellen lassen.
Kurz: Spielerisch, locker, wie zum Spaß.

Gymnastik

■ Pflegen Sie Ihre Haut nach jedem Baden und Bürsten mit einem guten Öl (Seite 43); es wird von der Haut so schnell aufgenommen, daß Sie um Ihre Kleider nicht zu fürchten brauchen.

Wie die Morgenschwäche ist auch die im Fasten häufige Anlaufschwäche aktiv überwindbar.

Die »Müllabfuhr« und ihre Bewältigung

Entschlacken, entgiften

Alle »Schleusen« des Körpers sind während des Fastens geöffnet. Die Selbstreinigung ist mit der Darmentleerung am ersten Fastentag nicht beendet. Der fastende Körper entledigt sich seiner Stoffwechselreste und seiner seit Jahren angehäuften Stoffwechselschlacken durch alle Öffnungen und Poren.

Ausscheidung über den Darm

Aktiv »in die Gänge kommen«

▶ **Luftbad bei geöffnetem Fenster**
Massieren Sie den ganzen Körper, beginnend an Finger- und Zehenspitzen, mit einem derben Frottierhandtuch, einer nicht zu weichen Badebürste oder einem Bürstenhandschuh kräftig durch, bis Sie sich wohlig warm fühlen.

Bürstenmassage

Das Ganze dauert etwa 5 bis 10 Minuten. Danach ist der Kreislauf angeregt und somit stabil.

Der Darm ist zur Aufnahme von Nahrung und zur Ausscheidung von Schlacken bestimmt. Jetzt ist er nur Ausscheidungsorgan. Er braucht zur Reinigung jeden zweiten Tag eine Spülung: den Einlauf. (*Nicht Glaubersalz! Das würde den Darm nur immer wieder stören.*)

Darmreinigung

Richtig fasten – leicht gemacht

So wird's gemacht

▶ **Der Einlauf**

Klistierbehälter oder -beutel im Badezimmer mit körperwarmem Wasser füllen (1 Liter), Probelauf ins Klo oder Waschbecken, bis keine Luftblasen mehr im Schlauch sind. Schlauch abklemmen, knicken oder, falls vorhanden, Hähnchen schließen. Darmrohr am Schlauchende etwas einfetten. Gefüllten Einlaufbehälter an die Türklinke hängen.

Lagern Sie sich mit Knien und Ellbogen auf den Boden und führen Sie das eingefettete Darmrohr so tief wie möglich in den After ein – pressen Sie dabei ein wenig dagegen. Während Sie das Wasser langsam einlaufen lassen, unverkrampft knien, Bauchdecke locker lassen, ruhig atmen. Nach 2 bis 5 Minuten treibt Sie ein heftiges Drängen aufs Klo; 2- bis 3mal »schießen« Wasser und Darminhalt befreiend heraus.

Mit einem Klistiergummiball kann man sich notfalls auch helfen. Sie müssen ihn nur 3- bis 4mal füllen und in den Enddarm entleeren, zuletzt sehr gut ausspülen.

Einlauf = Darmpflege

Der Einlauf mag antiquiert erscheinen – er ist aber nach wie vor die schonendste und ergiebigste Darmpflege; er trägt wesentlich zum Wohlbefinden des Fasters bei und hilft rasch bei Hungergefühlen, bei Kopf- und Gliederschmerzen. Er ist eines der wichtigsten Hausmittel für die ganze Familie bei Fieber und Unpäßlichkeiten.

Bittersalz

▶ Ist es Ihnen nicht möglich, einen Einlauf zu machen, dann trinken Sie morgens Bittersalz (2 Teelöffel auf 1 Glas warmes Wasser) oder »F. X.-Passage-Salz« (3 bis 5 Teelöffel auf 1 Glas Wasser).

Weitere »Abführmittel«

▶ 1 Glas Sauerkrautsaft, Molke oder Buttermilch ($1/8$ l) am Morgen kann zur Darmentleerung genügen.

Sie müssen selbst herausfinden, was Ihnen am besten hilft. Bedenken Sie aber, daß die meisten üblichen Abführmittel, so auch die Salze, die ruhige Darmarbeit erheblich stören können. Solange man fastet, scheidet der Darm Giftstoffe aus – das ist auch nach 20 Tagen noch der Fall.

Ausscheidung durch den Urin

Der Urin ist zeitweise recht dunkel und riecht penetrant. Wasser ist das ideale Mittel, um Nieren und Harnwege durchzuspülen.

▶ Trinken Sie mehr Wasser, als der Durst verlangt.
Sie scheiden mal viel und mal wenig Urin aus; das ist normal. Am Gewicht erkennen Sie, daß der Körper phasenhaft staut und entwässert – nicht ärgern, wenn das Gewicht stillsteht.

Nehmen Sie nie Entwässerungstabletten! Sie stören den sinnvoll regulierten Wasserhaushalt empfindlich und helfen nur zum Schein für 1 bis 2 Tage.

Was über die Haut weggeht

Allerhand Ekeldüfte lassen ahnen, was da alles über die Haut mit dem Schweiß in die Wäsche abwandert. Die Wäsche nimmt diese Ausdünstungen auf, wenn sie saugfähig ist; also meiden Sie Kunstfasern. **Besonders sorgfältige Körperpflege** Waschen, Duschen und Baden werden dem Faster Bedürfnis sein – vor der Sauna oder dem Schwimmen sind sie hygienische Notwendigkeit.

▶ Die Haut des Fastenden trocknet etwas aus. Darum bedarf sie täglicher Pflege mit pflanzlichen Ölen nach jedem Waschen, Baden, Duschen – zum Beispiel mit Diaderma, Weleda, Wala oder ähnlichen Präparaten.

▶ Benutzen Sie in der Fastenzeit niemals Cremes, Schminke, Farbpuder – diese Mittel verstopfen die Poren und hindern so die Haut am Atmen und Ausscheiden. **Make-up**

▶ Gehen Sie sparsam um mit desodorierenden Mitteln, damit es nicht zu Hautreizungen kommt. **Deodorant**

Das Wichtigste: Freuen Sie sich darauf, wie zart und glatt Ihre Haut nach dem Fasten sein wird!

Durch die Lungen Stoffwechselreste ausatmen

Die ausgeatmete Luft ist beladen mit gasförmigen Stoffwechselresten, die beim Wandern und Spazierengehen verfliegen.

▶ Lüften Sie gründlich Ihre Wohnung: Jede Stunde einmal fünf Minuten lang Fenster oder Balkontür weit öffnen. **Gründlich lüften**

▶ Drehen Sie nachts die Heizung ab und schlafen Sie bei geöffneten Fenstern. Sie sorgen damit gleichzeitig für die optimale Sauerstoff-»Ernährung« von Hirn und Organen.

Selbstreinigung der »oberen Luftwege« durch die Schleimhäute

Nase, Rachen, Luftröhre reinigen sich normalerweise selbst.

Frische Luft ▶ Die frische Morgenluft regt das Schneuzen, Räuspern, Ausspucken an.

Kaltes Wasser ▶ Ein paar Hände voll kaltes Wasser ins Gesicht gespritzt wirkt ebenso gut.

Die Selbstreinigung der Schleimhäute ist in der Fastenzeit oft verstärkt; wenn sie nicht gestört wird, können jetzt Rauchschäden ausheilen.

Rauchpause! ▶ Deshalb absolute Rauchpause während des Fastens! Kaugummi oder Pfefferminz helfen über »die Leere im Mund« hinweg.

Selbstreinigung über die Scheide

Ähnliche Selbstreinigungstendenz haben die Schleimhäute der Scheide. Während des Fastens kann sich deshalb vorübergehend ein verstärkter Ausfluß einstellen.

Ausscheidung über den Mund

Die Zunge ist graugelblich belegt, manchmal braun oder schwarz – je nachdem, was der Körper gerade auszuscheiden hat. Zähne und Zahnfleisch haben jetzt öfter einen nicht gut riechenden Belag. Der Geschmack ist pappig bis fade.

Verstärkte Mundpflege ▶ Benutzen Sie die Zahnbürste auch für die Zunge, spülen Sie den Mund häufiger mit Wasser. Oder saugen Sie einen Zitronenschnitz aus – mehrmals am Tag.

Auch die Gaumen- und Rachenmandeln sind an den Ausscheidungsvorgängen beteiligt.

Heilerde gegen Mundgeruch ▶ Wenn Sie unter üblem Mundgeruch leiden, nehmen Sie zwei- bis dreimal täglich 1 Teelöffel Luvos-Heilerde ultra mit etwas Wasser (nach Anweisung). Heilerde bindet schlechte Stoffe und macht sie geruchlos.
Auch das Kauen von Kalmuswurzel und frischen Kräutern (Schnittlauch, Dill, Petersilie) hilft und hat den zusätzlichen Effekt des geschmacklichen Reizes.

Wie Sie »seelischen Müll« loswerden

Fasten-träume

Auch »seelischen Müll« gibt es natürlich. Haben Sie keine Angst vor bedrückenden Träumen von Krieg, Sex, Blut, Dreck, vor häßlichen Gedanken, aggressiven Launen oder schwermütigen Stimmungen!

Auseinandersetzen mit Problemen

➤ Wichtig ist in solchen Situationen dies: Sprechen Sie aus, was Sie bedrückt. Schreiben Sie es auf, wenn Sie keinen Gesprächspartner haben, und schauen Sie sich das Aufgeschriebene später »bei Lichte« an. Setzen Sie sich in jedem Fall mit dem »seelischen Müll« auseinander – Sie werden merken, wie sehr diese Auseinandersetzung Sie entlastet (siehe auch »Die Fastennacht«, Seite 49). Tagebuchschreiben hat schon vielen geholfen.

Was kann man sich während des Fastens zumuten?

Wieviel ein Fastender zu leisten vermag, hängt nicht so sehr vom Fasten ab, sondern vielmehr von der Leistungsfähigkeit, die er auch sonst besitzt. Es steht ihm eine volle Energieversorgung von innen zur Verfügung, er kann nahezu alles tun, was er auch sonst tun würde. Probieren Sie's aus! Der ältere Mensch wird vorwiegend spazierengehen. Der Behinderte wird das tun, was er tun kann.

Gute Dauer-leistungs-fähigkeit

Ein nicht regelmäßig Sport treibender Mensch ist durchaus in der Lage, seinen Garten umzugraben, wenn das nicht hektisch, sondern rhythmisch und gemächlich geschieht.

Es gibt jedoch – was den Krafteinsatz anbelangt – kleine Unterschiede, die man kennen muß:

Keine Sprints

■ *Alles, was einen schnellen Krafteinsatz erfordert* – die Treppe hinauflaufen, die abfahrende Bahn zu erreichen versuchen, Fußballspielen oder Skilaufen – *kann dem Fastenden Schwierigkeiten bereiten.* Besser vermag er Dauerleistungen zu

Richtig fasten – leicht gemacht

Bewegung, möglichst an der frischen Luft, ist wichtig im Fasten; dabei gilt aber: Nichts übertreiben!

erbringen: Schwimmen, Wandern, Radfahren, Rudern, den Berg langsam, aber zügig hinaufgehen, Skiwandern, Gymnastik. Wichtig allein ist, daß jeder Faster täglich einmal an seine Leistungsgrenze herangekommen ist. So ist garantiert, daß die vorhandene Leistungsfähigkeit auch im Fasten voll erhalten bleibt.

Ein Konditionstraining mit dem Ziel einer Leistungsverbesserung ist im Fasten genauso gut möglich wie zu jeder anderen Zeit und gehorcht den gleichen Gesetzen:
- täglich konsequent üben,
- alle Muskelgruppen gleichermaßen trainieren,
- täglich ein- bis zweimal an die Leistungsgrenze gehen,
- langsam beginnen, Steigerungen einfügen,
- harmonischen Wechsel zwischen Anforderung und Ruhe beachten.

Durch Konditionstraining vergrößert sich die geübte Muskulatur, während sich das Gewicht vermindert! Ist das paradox? Nein: Kraft und Leistung gehorchen dem Gesetz der Anforderung – beziehungsweise der Funktion. Was funktioniert, wird nicht abgebaut, kann bei entsprechender Anforderung sogar aufgebaut werden; dafür stehen dem gutgenährten Faster genügend Eiweißreserven zur Verfügung. Abgebaut wird dann nur Fett – zur Energiegewinnung.

Wer im Fasten vorwiegend im Bett liegt, wird genauso wie ein vollverpflegter Esser, der sich nicht bewegt, Kraft und Leistungsfähigkeit verlieren. Viele Menschen erleben dies im Krankenhaus.

Täglich Konditionstraining

Fett wird abgebaut

Körperliche Leistungsfähigkeit

Die Faulen und Trägen haben zwar ebenso gute Gewichtsabnahmen zu verzeichnen wie die Aktiven, aber sie haben nicht nur Fett, sondern auch ihre Muskulatur abgebaut und wundern sich, warum sie zunehmend kreislauflabil und schlapp werden. Dazu zwei Beispiele: Schweizer, 54 Jahre alt, 10 000-Meter-Läufer, trainierte täglich während seines 50-Tage-Fastens. Am 49. Fastentag lief er seine bisherige Bestzeit. Sportlich aktiver Vierziger fastete 21 Tage und nahm dabei 24 Pfund ab. Mit täglicher Gymnastik, Tennisspielen, Schwimmen und stundenlangen Wanderungen kehrte er bestens trainiert nach Hause zurück. Ein Jahr später kam er mit einem Gipsbein wieder zum Fasten. Beinbruch durch Unfall. Jetzt konnte er so gut wie nichts tun, außer Gehen am Stock und ein wenig Gymnastik im Zimmer. Gegen Kurende wurde der Gips entfernt. Nach 21 Fastentagen hatte er ebenso 24 Pfund abgenommen, aber er war schwach, mußte das Gehen wieder lernen und hatte erst nach 6 Wochen harten Trainings seine alte Kondition wieder erreicht.

Bestzeit am 49. Fastentag

Geistige und künstlerische Leistungsfähigkeit

Der Fastende kann selbstverständlich auch geistig arbeiten; und er ist auch in der Lage, künstlerisch-schöpferisch tätig zu sein – häufig mit weit besseren Resultaten als sonst. Ich erinnere mich an einen 82jährigen, der während der Fastenzeit eine ungewöhnlich intensive schöpferische Phase erlebte. Ein österreichischer Philosoph behauptete, er habe die besten Dinge während seiner Fastenzeit geschrieben. Von Malern weiß ich, daß sie eine Fülle von Farb- und Formeindrücken hatten, die sie nach dem Fasten in Bilder umsetzten; andere wiederum erlebten ungewöhnlich produktive Phasen.

Steigerung der Kreativität

Massage, Bäder, Sauna

Der Faster darf sich auch behandeln lassen mit Massage, Höhensonne, Bädern, Kneipp-Anwendungen. Wer regelmäßig die Sauna benutzt, darf dies auch jetzt tun, vorausgesetzt, er fühlt sich kreislaufstabil und begnügt sich mit zwei Saunagängen zu je zehn Minuten. Nach dem Verlassen des Heißraumes zuerst kaltes Wasser mit beiden Händen ins Gesicht, nicht an die Beine!

Vorsicht bei Sauna

3 x täglich ruhen

Mit Hilfe des Wechsels zwischen Spannung und Entspannung, zwischen Bewegung und Ruhen erreichen Sie am schnellsten körperliches und seelisches Wohlbefinden.

Nach jeder Anstrengung, nach jedem Bad, nach jeder Sauna oder Massage, nach jeder sonstigen Anwendung ruhen! Nicht lesen. Augen schließen – ausatmen – ausruhen.

Dem Körper Zeit lassen für seine Stoffwechselarbeit: Er baut ab, baut um und baut auf. Dazu braucht er Ruhe.

Mittagsruhe – Leberpackung

■ Auf jeden Fall hinlegen zur Mittagsruhe! Dabei ist es gut, eine flachgefüllte Wärmflasche auf den Leib zu legen. Noch besser ist eine feucht-heiße Leibauflage, die Leberpackung. Sie unterstützt die Leber in ihrer wichtigen Entgiftungsarbeit.

▶ **Leberpackung**
Eine Wärmflasche flach mit heißem Wasser füllen, die Luft herauslassen. Ein Handtuch (Leinen) einmal längs zusammenfalten und zu einem Drittel in heißes Wasser tauchen, auswringen. Im Liegen zuerst das nasse Handtuch auf den Leib legen, darauf die Wärmflasche und darüber den trockenen Teil des Handtuches. Den ganzen Körper gut zudecken.

Zum Ruhen kann es das Bett, die Couch, der weiche Teppich oder eine Wiese sein. Wichtig allein ist, daß Sie liegen, ruhen, entspannen und warm sind. Durch das Liegen allein wird die Leber um 40 Prozent mehr durchblutet.

Loslassen – entspannen

Wer gelernt hat, loszulassen und zu entspannen, wird jede Schwierigkeit schneller überwinden. Im Fasten ist der Körper von Natur aus entspannungsbereit. Das ist die Zeit, in der man mit Hilfe des autogenen Trainings, des Yoga, der Atemschulung, lösender Gymnastik oder anderer Methoden die Kunst des Entspannens und der Konzentration auf den eigenen Körper vorzüglich lernen kann. Auf Seite 107 finden Sie unter »Bücher, die weiterhelfen«, auch Titel, die Ihnen bei diesem Thema Anleitung und Hilfe geben können.

Seelisch »gammeln« lernen

Ihr Körper braucht jetzt viel Ruhe und Wärme. Legen Sie sich mittags mit einer Leberpackung ins Bett, und sorgen Sie abends durch natü:liche Mittel für guten Schlaf.

Die Fastennacht

»So Ihr fastet, werdet Ihr wachen. Murret nicht. Nützet die Zeit.« –
so lautet ein alter Spruch.
Glücklicherweise ist nicht einmal die Hälfte der Faster nachts häufiger wach als sonst. Die meisten schlafen tief und fest, allerdings nicht so lange wie sonst.
Mancher Faster kann sein Ein- oder Durchschlafen verbessern. Dafür ein paar einfache Tips:

Vorbereitung auf die Nacht

▶ Abschalten, bewußt entspannen, den Tag ausklingen lassen! Nicht kurz vor dem Schlafengehen auf- oder anregende Fernsehsendungen anschauen; lieber einen kleinen Spaziergang machen; geruhsam im Sessel sitzend lesen; Musik hören, die Sie lieben – also etwas tun, das Ihnen Freude und Entspannung bringt.
Alle aufgenommenen Bilder wirken im Schlaf weiter, auch wenn das nicht bewußt wird.

**Richtig
Feierabend
machen**

Richtig fasten – leicht gemacht

▶ Den Kopf entlasten. Die Blutfülle nach geistiger Arbeit, nach einer erregten Diskussion kann man abfließen lassen:

Bewegung hilft durch einen abendlichen Spaziergang an der frischen Luft, durch Wassertreten in der Badewanne – kalt, wadenhoch, durch ein ansteigendes Fußbad (Seite 52), durch ein paar Liegestütze oder Kniebeugen. Jede körperliche Betätigung leitet die Blutfülle vom Kopf in die Muskeln.

▶ »Kalte Füße schlafen nicht **Warmhalten** gern.« Wie Sie sich rasch helfen können, lesen Sie unter »Warmhalten!« auf Seite 51.

▶ »Geschlossene Fenster rufen Nachtgespenster.« Sauerstoffmangel verursacht schlechte **Lüften** Träume. Darum: Heizung abdrehen, bei weit geöffneten Fenstern schlafen. Wenn Ihnen kalt wird, nicht das Fenster schließen, sondern lieber noch eine Decke aufs Bett packen.

▶ Schlafmittel? Schmerzmittel? Weglassen, was sich irgendwie weglassen läßt! Allenfalls **Natürliche** legen Sie das gewohnte Mittel **»Mittel«** auf dem Nachttisch bereit. **bevorzugen** Wenn Sie sich quälen, nehmen Sie es, versuchen Sie jedoch vorher alles, was auf natürliche Weise den Schlaf fördert.

Wenn der Schlaf gestört ist

Der Schlaf kann gestört sein durch Mißbehagen, durch Bauchbeschwerden und Unruhe. Sie können sich schnell helfen, wenn Sie folgendes beachten:

● Ein voller Bauch »denkt« **Hilfe bei** nicht nur ungern, er schläft **Völlegefühl** auch nicht gut. Sogar im Fasten kann es Völlegefühle durch Gase und Mißbehagen durch Verkrampfungen geben, vor allem in der Nachfastenzeit. Am besten hilft dann eine Leibauflage.

▶ Die Prießnitzleibauflage Ein Leinenhandtuch zu einem Drittel in kaltes Wasser tauchen, auswringen und so zusammenlegen, daß es eine nasse und zwei trockene Schichten gibt. Die naßkalte Seite kommt auf den Leib, ein zusammengeschlagenes trockenes Frottiertuch wird darübergelegt. Der Bund der Schlafanzughose hält alles zusammen. In kurzer Zeit wird die Auflage wohlig warm.

▶ Wenn Sie sich schlaflos hin- und herwälzen, wenn die **Hilfe bei** Unruhe Sie aus dem Bett treibt, **Unruhe** waschen Sie sich von oben bis unten kalt ab – mit dem Waschlappen, nicht duschen – und legen sich unabgetrocknet wieder ins Bett. Kalt! Unabgetrocknet! – Sie werden erstaunt sein, wie rasch und gut dieses einfache Mittel wirkt.

● Der Schlaf kann im Fasten oberflächlich und kürzer werden. Lesen Sie noch einmal das Motto dieses Kapitels (Seite 49).
● »*Murret nicht.*« Wenn Sie also zur ungewohnten Zeit erwachen: Nicht ärgern, sondern **Das** das Wachsein annehmen.
Wachsein »*Nützet die Zeit.*« Genießen Sie
annehmen die Stille der Nacht oder des dämmernden Morgens. Nehmen Sie es an, wenn Gedanken über Ihre Familie, über Ihren Beruf kommen. Sträuben Sie sich nicht, auch einmal über sich selbst nachzudenken. Legen Sie sich einen Zettel und einen Bleistift bereit, schreiben Sie auf, was Ihnen einfällt. Viele Menschen haben gerade in solchen Fastennächten den Weg zu sich selbst oder den Schlüssel für langgesuchte Problemlösungen gefunden. Oder – warum nicht ein bißchen lesen? Wie oft läßt der Alltag keine Zeit zum Lesen. Am nächsten Morgen werden Sie entdecken, daß Sie nicht einmal müde sind. Nur wer wache Stunden nicht annehmen kann und sich ärgert darüber,

daß er wachliegt, ist morgens unausgeschlafen.
Man weiß, daß der Faster mit 5 bis 6 Stunden Schlaf auskommt, vor allem dann, wenn er am Tage die empfohlenen Ruhezeiten einhält.

Weniger Schlaf ist normal

Warmhalten!

Wundern Sie sich nicht, wenn Sie im Fasten häufiger kalte Hände und kalte Füße haben. Der »innere Ofen« kann zwar aus Nahrung und auch aus Fettdepots gleichviel Wärme produzieren, aber er stellt sich im Fasten auf Sparschaltung ein – so als müsse er mit den Körperreserven haushalten.
So können Sie sich helfen:
● Kleidung luftig – aber warm. Bevorzugen Sie natürliche, wärmende und saugfähige Stoffe wie Baumwolle, Batist und Wolle; tragen Sie keine Kunstfasern. Nehmen Sie Schuhe mit Kork- oder Lederbrandsohlen; im Sommer luftige Sandalen oder Holzschuhe.
● Bewegung schafft Wärme.
● Warme Getränke werden angenehmer empfunden als kalte.
● Heiße Leberpackung (Seite 48) – täglich mittags oder abends. Die Wärmflasche kommt an die Füße, so oft sie kalt sind. Ein warmes Fußbad läßt sich in

Alles, was warm macht

**Fußbad
gegen
Erkältung**

jedem Eimer oder in jeder Plastikwanne machen.

● Wer friert oder richtig durchgefroren ist, braucht mehr: das ansteigende Fußbad, der beste Erkältungsschutz.

▶ **Das ansteigende Fußbad**
Lauwarmes Wasser – nicht heißes! – wadenhoch in einen Eimer füllen – Füße hinein – heißes Wasser so oft zugießen, daß die Füße immer neue Wärme bekommen. In etwa 15 bis 20 Minuten ist der ganze Körper mit Wärme aufgeladen. Zum Abschluß Füße kurz kalt duschen oder abwaschen. Warm anziehen oder ins Bett steigen.

● Beim Baden oder Schwimmen kühlt der fastende Körper schneller aus als sonst. Kürzen Sie Ihre Schwimmzeiten etwas ab, und denken Sie danach an ein gründliches Aufwärmen.

Was kann im Fasten anders sein?

Sehen: Da bemerkt jemand, daß seine Sehschärfe nachläßt – das Schriftbild verschwimmt. Im Fasten läßt der Augendruck etwas nach. Keine Sorge, das kommt rasch wieder in Ordnung. Das Sehen ist nach dem

Fasten meist besser als zuvor. Allerdings: Für Autofahrer ist Vorsicht geboten. Konzentration und Reaktionsfähigkeit können jetzt herabgesetzt sein.
Verstehen: Sie lesen einen Abschnitt einmal, zweimal und verstehen ihn auch beim dritten Mal nicht. Das Aufnehmen scheint blockiert. Lassen Sie sich davon nicht irritieren; auch das ist in wenigen Tagen wieder in Ordnung.
Merken: Es kann Ihnen passieren, daß Sie schneller vergessen, was eben gesagt wurde, als es sonst der Fall ist. Es kann passieren, daß Sie Termine, sogar Ihre eigene Telefonnummer vergessen. Auch die Wortfindung kann verlangsamt sein. Nicht wundern: Auch der Kopf macht mal Ferien. Das ist Ausdruck eines normalen Abschaltens nach vorheriger Überlastung.
Die sexuelle Potenz: Sie kann sich vorübergehend verändern – vermindern oder steigern. Sie wird nach dem Fasten besser und ausgewogener, normaler sein.
Die Monatsregel: Sie kann sich verschieben – also nicht wie sonst auf empfängnisfreie Tage verlassen –, sie kann schwächer oder stärker sein als sonst. Auch hier kommt es nach dem Fasten eher zur Normalisierung.

**Autofahrer
Vorsicht!**

So fühlt man sich im Fasten

Das neue Wohlbefinden

Die meisten Faster fühlen sich nach den ersten ein oder zwei Tagen ihrer Fastenwoche erleichtert, entlastet und deshalb recht wohl. Sie haben Zutrauen zum Fasten gewonnen, und das Erstaunen darüber, wie gut es ihnen geht, wird zur Freude an der »Reise in das neue Wohlbefinden«.

Fastenflauten

Natürlich gibt es nicht nur eitel Sonnenschein. Da sind die kleinen Fastenflauten, häufig morgens oder nur während einiger Stunden des Tages: Ich bin lustlos, ich bin müde, ich bin ein bißchen schwindlig und ich bin träge. Was soll ich tun? Aufraffen – oder mich gehenlassen? Beides!

Unpäßlichkeiten gehen vorüber

■Ob kurzzeitige Flaute oder körperliche Trägheit – *auf jeden Fall zunächst einmal aufraffen!* Meist sind dann sowohl die Flauten als auch die Trägheit überwunden. Gehen Sie 10 Minuten durch die frische Luft, schon wird es Ihnen besser gehen.

Will das flaue Gefühl trotz des Spaziergangs, trotz des Versuchs, bei Sport und Spiel mitzumachen, nicht weichen, ist immer noch Zeit, sich gehenzulassen. Dann ist es richtig, sich ins Zimmer zurückzuziehen, sich hinzulegen, zu lesen oder zu schlafen.

Aufraffen

Das Aufraffen ist ein besonders wichtiges Kapitel für Menschen, die zu Körperfülle oder zu Trägheit neigen. Der, den die Pfunde behindern, verliert den Spaß an der Bewegung. Und der Träge hat sich so oft gehenlassen, daß er jetzt völlig untrainiert ist. Für beide ist das Aufraffen zur Bewegung lebensnotwendig. Mit dem Gewichtsverlust und mit jedem Gewinn an Training wird es leichter. Es kommt der Tag, an dem Behinderung und Trägheit überwunden sind, die Bewegung Freude zu machen beginnt und allmählich zum Bedürfnis wird. Bis dahin – nicht vergessen: Aufraffen!

Niedriger Blutdruck

Für Menschen mit einem zu niedrigen Blutdruck (unter 100/60 mm Hg) ist es gewöhnlich schwieriger als für andere. Schwäche, Schwindel und Konzentrationsstörungen begleiten sie oft durch die Fastentage.

Richtig fasten – leicht gemacht

Hilfe für den Kreislauf

Ihr Kreislauf braucht Hilfen:
● Kapitel »Das Aufstehen am Morgen« (Seite 40) besonders beachten.
● Schwarztee mit 1 Teelöffel Honig am Morgen und nach der Leberpackung zu Mittag – am besten noch im Liegen trinken (Ginseng-Tee hilft ähnlich).
● Zur Stabilisierung des Kreislaufs ist körperliche Aktivität sehr wichtig – man muß sie nur langsam angehen lassen.

■ Für alle: Gehen oder Wandern – in angemessenem Tempo – verhindert Fastenflauten am ehesten.

Fastenkrisen

Wenn Gifte durch den Körper kreisen

Fastenkrisen kommen beim Kurzzeitfasten selten vor, schon eher bei einer längeren Fastenkur von 20 und mehr Tagen, selten bei gesunden, häufiger bei kranken Fastern. Fastenkrisen kommen wie aus »heiterem Himmel«. Der Faster fühlt sich flau, gereizt oder schwermütig. Alte Beschwerden flackern auf. Er fühlt sich, als sei er krank – wie bei einer Grippe zum Beispiel.
An einem solchen Tag hat der Körper viel mit sich selbst zu tun. Er will geschont werden.
● Bettruhe, Wärme und ein Einlauf helfen am besten.

● Reichlich Wasser oder Tee trinken!
● Ein Glas Buttermilch tut jetzt Wunder.
● Während einer Fastenkrise ist es falsch, sich zu Anstrengungen zu zwingen – oder gar das Fasten abzubrechen.

Fastenkrisen sind Heilkrisen. Es sind die Stunden und Tage, in denen Krankhaftes und Abgelagertes besonders intensiv aus den Geweben herausgelöst wird und durch den Körper kreist. Sobald diese Stoffe ausgeschieden sind, ist die Krise so komplett verflogen, als wäre sie nie gewesen.

Tips für das Fasten im beruflichen Alltag

● Nehmen Sie sich mehr Zeit als sonst für die Morgentoilette und die Morgengymnastik – also früher aufstehen.
● Nehmen Sie sich mehr Zeit für den Weg zur Arbeit. Nicht hetzen! Das Auto daheim lassen. Mit Straßenbahn oder Bus fahren, eine Station vorher aussteigen, den Rest des Weges gehen. Statt des Lifts die Treppe benutzen – Bewegungstraining und viel frische Luft sind wichtig. Mittagspause für einen Spaziergang an der frischen Luft oder ein Schläfchen im Sessel oder auf dem Teppich nutzen.

Viel Bewegung in frischer Luft

● Denken Sie an den veränderten Körper- und Mundgeruch: Den Mund häufig mit klarem Wasser und einem Spritzer Mundwasser spülen, Pfefferminz ohne Zucker nehmen.

● Nach Feierabend bewußt in Ihre persönliche Atmosphäre eintauchen und alles tun, was andere im Urlaub tun. Zeitig zu Bett gehen! Wimmeln Sie Besucher, Neugierige und Einladungen ab.

Feierabend zum Urlaub machen

● Treffen Sie sich regelmäßig mit Ihren Mitfastern oder tauschen Sie am Telefon Ihre Fastenerfahrungen aus.

Fastenprotokoll – Beschwerdenbilanz

Es lohnt sich, den Fastenverlauf genau festzuhalten. Notieren Sie täglich alles über Ihren Speiseplan, die »Müllabfuhr«, Ihren körperlichen und seelischen Zustand, Ihre körperlichen und seelischen Aktivitäten. Machen Sie also ein Fastenprotokoll. Schreiben Sie auf, was Sie an kleinen oder größeren Beschwerden vor Beginn Ihrer Fastenwoche plagt – notieren Sie, was nach Ihrer Fastenzeit davon geblieben ist. Machen Sie also Bilanz, was Ihnen die Fastenwoche eintrug.

Notieren Sie täglich

Ein Fastentagebuch ist während des Fastens und besonders auch in der Nachfastenzeit ein hilfreicher Begleiter.

Gewichts-abnahme

Nehmen wir ein Beispiel:

Ein Beispiel Ein Mann und eine Frau fasten wegen eines mäßigen Überge-wichts.

Die Kurve der Frau zeigt eine gleichmäßige Abwärts- und Auf-wärtsbewegung; die Kurve des Mannes fällt am ersten und dritten Fastentag ab und steigt am zweiten und dritten Aufbau-tag steiler an als die der Frau. Das ist typisch für Menschen mit erhöhtem Salz- und Wasser-gehalt im Gewebe. Am vierten Fastentag war die Gewichtsab-nahme des Mannes gleich

Null. Sein Körper hatte Wasser zurückbehalten. Das ist ganz normal; Salzdepots im Gewebe werden gelöst und oft erst am nächsten Tag durch die Nieren ausgeschieden. Es gibt keinen Grund, sich durch einen Ge-wichtsstillstand die Laune ver-derben zu lassen. Das Gewicht kann tagelang stillstehen. Der wirkliche Gewichtsverlust, den eine Fastenwoche bringen kann, ist am Morgen des ersten Nachfastentages festzustellen. Die Frau hat 3 Kilogramm, der Mann 4 Kilogramm abgenom-men. Für beide ist das eine normale und durchschnittliche Gewichtsabnahme. Die Ge-

Der »gepökelte« Bürger

Männer nehmen mehr ab

Gewichts-verlust in einer Fasten-woche

Frau:
40 Jahre alt,
1,60 m groß,
Gewicht zu
Beginn des
Fastens 65 kg.

Mann:
40 Jahre alt,
1,75 m groß,
Gewicht zu
Beginn des
Fastens 80 kg.

wichtskurve zeigt die Abnahme an Fettgewebe und den Verlust an Wasser und Salz. Ihr Verlauf ist nicht für alle Menschen typisch; er wird beeinflußt durch Wetter, Periode und durch Medikamente.

Die Frau hat rund 1,8 Kilogramm an Fettgewebe verloren, der Mann rund 2,5 Kilogramm. 1 Kilogramm Fettgewebe liefert 6000 Kalorien. So läßt sich berechnen, daß aus der täglichen Fettverbrennung der Frau 1500 Kalorien pro Tag an Energie und dem Mann 2100 Kalorien pro Tag an Energie zur Verfügung standen. Damit kann man leben, arbeiten, Sport treiben, denken.

Energie aus Fettdepots

Einen Verlust an Energie, an Lebendigkeit, an Freude gibt es trotz des Gewichtsverlustes nicht! Auch wer wenig abgenommen hat, genießt den vollen Gewinn eines Fastens.

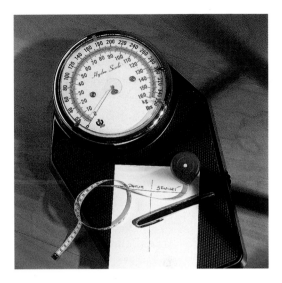

Ihre Gewichtsbilanz

▶ Stellen Sie Ihren Gewichtsverlauf fest! Notieren Sie sich am Morgen des Entlastungstages Ihr Anfangsgewicht. Wiegen Sie sich während der Fastenwoche jeden Morgen, und schreiben Sie sich das Gewicht auf. Die Gewichtsbilanz machen Sie am Morgen des ersten Nachfastentages.

Auf der nächsten Seite finden Sie »Ihre persönliche Gewichtstabelle« und »Ihre persönliche Gewichtskurve«.

▶ Machen Sie sich eine feste Wiegeregel: Wiegen Sie sich immer morgens, nach dem Wasserlassen, im Nachthemd oder Schlafanzug oder immer morgens, nach Stuhlgang und Dusche, nackt.

Kontrollieren Sie Ihr Gewicht auch in den folgenden Wochen und Monaten weiter; »mit der Waage leben« – das ist das sicherste Mittel, das Gewicht zu halten. Die Waage steht so, daß sie nicht zu übersehen ist. Gewichtstabelle und Schreibstift liegen griffbereit.

Wiegen Sie sich vom Entlastungstag an jeden Morgen, und notieren Sie Ihr Gewicht. Auch nach dem Fasten sollten Sie regelmäßig auf die Waage gehen.

Richtig fasten – leicht gemacht

Ihre persönliche Gewichtstabelle

Datum	Tag der Fastenwoche	Gewicht in kg
	Morgen des Entlastungstages	
	Morgen des 1. Fastentages	
	Morgen des 2. Fastentages	
	Morgen des 3. Fastentages	
	Morgen des 4. Fastentages	
	Morgen des 5. Fastentages	
	Morgen des 1. Aufbautages	
	Morgen des 2. Aufbautages	
	Morgen des 3. Aufbautages	
	Morgen des 1. Nachfastentages	

Ihre persönliche Gewichtskurve

Gewichtverlust in Kilogramm	Entlastungstag	1. Fastentag	2. Fastentag	3. Fastentag	4. Fastentag	5. Fastentag	1. Aufbautag	2. Aufbautag	3. Aufbautag	1. Nachfastentag	2. Nachfastentag	3. Nachfastentag
1												
2												
3												
4												
5												
6												
7												
8												

Gewicht vor Fastenbeginn _____ kg
abzüglich Gewicht am Morgen des 1. Nachfastentages _____ kg
Das haben Sie in der Fastenwoche tatsächlich
abgenommen

Gewinn durch Abbau

Das klingt paradox. Lassen Sie mich zusammenfassen, was in den vorhergehenden Kapiteln gesagt wurde.

Lebenskraft und Lebenswärme gewinnt der fastende Organismus aus dem Energiespeicher Fett, Baustoffe aus dem Eiweißspeicher.

Abbau von Körperballast Interessant zu wissen ist, daß der Körper nicht irgendein Fett verbrennt oder irgendwelche eiweißhaltigen Stoffe.

Der Körper baut ab –
und zwar in dieser Reihenfolge:
- alles, was ihn belastet
- alles, was er nicht braucht
- alles, was ihn stört
- alles, was ihn krank macht.

Eiweiß Nicht nur durch Überernährung mit Fett und Kohlenhydraten werden wir auf die Dauer krank, sondern auch durch zu hohe Zufuhr von Eiweiß. Dies zeigen neuere Forschungen der Kapillarbiologie; überschüssiges Eiweiß (Protein) lagert sich ab in der Wand der kleinsten Blutgefäße (Kapillaren), die sich in allen Organen befinden. In diesen Ablagerungen (Verschlackung) sieht man heute das vom Betroffenen noch unbemerkte Vorstadium mancher Erkrankung, die erst Jahre später spürbar wird.

Das trifft für alle Stoffwechselerkrankungen zu, auch für die meisten Herz-Kreislauf-Schäden mit der Spätfolge Herzinfarkt oder Schlaganfall sowie für die häufigsten Formen des Gelenk- und Weichteilrheumatismus – um nur einige Beispiele zu nennen.

Gegen diese Gefahren können wir selbst etwas tun, indem wir unseren Körper veranlassen, von Zeit zu Zeit überflüssiges Eiweiß abzubauen (wie es im Fasten geschieht) und darüber hinaus lernen, unseren Eiweißspeicher nicht gleich wieder zu überfüllen. Fasten und die Ernährung nach Maß gehören also zusammen.

Giftstoffe Mit dem gleichen Abbauvorgang ist auch die Entgiftung gekoppelt: Giftstoffe werden, an Eiweiß und Fett gebunden, im Bindegewebe abgelagert. Mit dem Fett- und Eiweißabbau im Fasten wird diese Bindung gelöst – die Giftstoffe können nun durch Darm, Niere und Haut ausgeschieden werden.

Eiweiß im Fasten? Jetzt verstehen Sie sicher, warum wir es für falsch halten, die Fastengetränke mit Eiweiß anzureichern oder einen »Protein-Trunk« zu geben. Wir würden den Entschlackungsvorgang verhindern und uns damit Heilchancen nehmen. Anders mag man eine Eiweißzugabe bei langem Fasten sehr übergewichtiger Menschen (mehr als 30 Tage, nur in der Klinik) beurteilen, bei denen es vordringlich um eine Gewichtsabnahme und nicht so sehr um eine Entschlackung und Entgiftung geht. Oder bei alten Menschen. Hier ist eine Eiweißzugabe sicher sinnvoll.

Der Körper baut niemals ab

● Brauchbares – zum Beispiel Herz oder Muskel,
● Funktionierendes – alle Organtätigkeiten,
● Lebensnotwendiges – zum Beispiel die Steuerungseinrichtungen.
Hinter diesem natürlichen Gesetz, das dem menschlichen Körper einprogrammiert ist, steckt das eigentliche Geheimnis eines Fastens. Wir dürfen uns getrost auf die hohe innere Sicherheit unseres Körpers verlassen.

Der Gewinn

■ Durch Entwässerung, Entsalzung, Entgiftung und Entschlackung zu Wohlbefinden.

■ Durch Ballastabwurf und durch Training zu vermehrter Leistung.

Gesundheitlicher Gewinn

Die Gewichtsabnahme kann eine Reihe von Veränderungen im Körper bewirken.

Sie entlastet die Kniegelenke, die Füße, die Bandscheiben der Wirbelsäule – kurz: die tragenden Elemente des Körpers. Sie entlastet das Herz, das nun besser und kräftiger pumpen kann. Das Atmen wird freier, die Lunge kann mehr Sauerstoff aufnehmen, und der Kreislauf transportiert ihn schneller in alle Gewebe.

Entlastung von Herz und Kreislauf

Der zu hohe Blutdruck sinkt auf das normale Maß. Der zu niedrige Blutdruck kann zwar vorübergehend etwas Müdigkeit und Schwindel verursachen, er hebt sich aber bald auf die erforderliche Höhe.

Ein zeitweise erhöhter Blutzucker sinkt bereits innerhalb der ersten fünf Fastentage zur Norm, nie aber unter die Norm (der medikamentenbedürftige Diabetiker fastet nur in der Klinik).

Blutzucker normal

Ein zu hoher Gehalt an Blutfetten (Cholesterin, Triglyceride und andere) vermindert sich mit jedem Fastentag. Sobald die Blutfettwerte normal sind, wird abgelagertes Fett auch aus den Leberzellen, aus den Blutgefäßen – aus allen verfetteten Organen herausgelöst. Entfet-

Entfettung von »innen«

tung geschieht nicht nur »außen«, sondern auch »innen«. Damit beginnt schon das Heilfasten (Seite 90).

Erhöhte Leberwerte

Selbst wenn das Labor leicht erhöhte Leberwerte gefunden hat, können Sie sicher sein, daß sich diese bereits nach fünf Fastentagen gebessert haben – allerdings unter der Voraussetzung, daß Sie wirklich keinen Tropfen Alkohol trinken. Der Leberkranke gehört in die Fastenklinik.

Wenn wir die Fastenwirkungen zusammenfassen, kann man sagen: Die Normalisierungstendenz von Labor- und Meßdaten entspricht der Tendenz des Körpers zur Selbstkorrektur.

Harnsäure im Blut

■ Nur eine Sache bedarf der besonderen Vorsicht: Die Harnsäurewerte im Blut steigen während des Fastens an; Zeichen dafür, daß jetzt ein besonders starker Zellabbau und -umbau geschieht. Nur wenige Menschen werden mit den erhöhten Werten nicht so gut fertig. Erst 5 bis 6 Tage nach dem Fasten sinkt auch die Harnsäure im Blut ab.

Wer weiß, daß er seit längerer Zeit erhöhte Blut-Harnsäure-Werte hat, muß während des Fastens wenige Regeln streng beachten:

Bitte beachten!

● Reichlich trinken; 2 bis 3 Zitronen pro Tag – ausgepreßt als Saft oder geschnitten zum Aussaugen der Scheiben; keinerlei alkoholische Getränke (ohnehin im Fasten schädlich); besonders gut abführen.

● Wer vom Arzt vorbeugend auf gichtverhindernde, harnsäuresenkende Medikamente eingestellt ist, muß sie während des Fastens weiternehmen – am besten in der Fastenklinik.

Stufenweise zum Normalgewicht

Wer sein Übergewicht stufenweise bis fast zum Normalgewicht abbaut und gleichzeitig für Bewegung sorgt, leistet viel für seine Gesundheit. Mit jedem Kilo vermindert er die genannten Risikofaktoren. Mit jedem Fastentag entschlackt er seinen Körper. Kurz: Er fügt seinem Leben gesunde und lebenswerte Jahre hinzu (Seite 88).

Kosmetik von innen

Für den Fastenarzt ist es immer wieder eindrucksvoll zu erleben, wie sich das Gesicht eines Fasters verändert: Das gedunsene, blau-rote »Vollmondgesicht« (der Laie hält es für gesund) mit hektisch roten Flecken beginnt bereits nach 5 Fastentagen zu entspannen

und die charaktereigenen Konturen zurückzugewinnen. Die trüben Augen werden klar, der unstete Blick wird fest.
Die vom Tabakteer braun-graue Haut des Rauchers hellt sich auf und bekommt frische Farben. Die schwammige, großporige Haut des Alkoholikergesichts strafft sich und blaßt ab.

Sichtbare Veränderung Aus den Zügen ist zunehmendes Selbstbewußtsein zu lesen. Das übermüdete, resignierte und blaßgraue Gesicht des Erschöpften kehrt sich zunächst nach innen, wird still und fällt ein wenig in sich zusammen. Dann aber füllt es sich auf, bekommt Frische und Zartheit. Die Augen beginnen wieder zu leuchten.
Nach dem Aufbau fällt die straff-elastisch zarte Haut auf; Unreinheiten sind verschwunden, Fältchen sind geglättet.

Hilfe bei Cellulite

Bei jedem Menschen erschlaffen im Laufe des Lebens die elastischen Fasern der Haut, der Unterhaut und des Stütz- und Bindegewebes; die Haltefasern werden dick und unbeweglich, weil sich Wasser, Salze und körpereigener »Abfall« dazwischen einlagern. Solcherart verschlacktes und meist gestautes Gewebe ergibt beim Zusammenschieben die »Apfelsinenhaut«; beim Kneifen kann es sogar ziemlich schmerzen (Cellulite).

Weit tiefer als eine Oberflächenkosmetik helfen hier das entschlackende Fasten, die sportliche Bewegung und das durchblutungsanregende Bürsten und Ölen nach einer Wechseldusche (Seite 41). Sie vermögen Ihre Haut und das darunterliegende Bindegewebe in kurzer Zeit zu verjüngen, schmerzfrei zu machen und zu straffen. **Das hilft wirklich**

Das Gewebe strafft sich

Gleiches geschieht auch im Inneren Ihres Körpers. Wer abnimmt, fürchtet meist, daß nun alles schlaff werde. Dies erleben Sie allenfalls während der Fastenphase; nach dem Kostaufbau kommt es glücklicherweise zu einer Straffung aller Gewebe, auch der inneren Organe. Bei der körperlichen Begegnung mit Ihrem Partner werden Sie dies beide mit Freude feststellen können. **»Um Jahre jünger«**
Nach längerem Fasten berichten viele: Ich fühle mich um fünf Jahre jünger.

Der entschlackte Körper strafft sich.

Wie kann der Partner helfen?

Gleichgültig, ob beide Partner gemeinsam fasten oder nur einer von ihnen – für ihr Handeln bedarf es einer Grundeinsicht: Fasten heißt, ins eigene Selbst eintauchen; dem körpereigenen Tagesrhythmus gehorchen, sich so verhalten, wie es der eigene Körper im Augenblick fordert und nicht, wie es der Partner wünscht oder erwartet.

Dem eigenen Rhythmus folgen

▶ Der Fastende unterbricht alte Gewohnheiten. Er lebt nach anderen Regeln als sonst. Lassen Sie sich gegenseitig los! Sie werden sich klarer wiederfinden.

● Informieren Sie sich gemeinsam über das Fasten: Lesen Sie beide den Fasten-Ratgeber.

Gemeinsam planen

● Bestimmen Sie gemeinsam den Zeitpunkt Ihres Fastenbeginns.

● Einigen Sie sich über den Ort des Fastens, die Einnahme der Mahlzeiten, die Gestaltung Ihrer Freizeit und Ihre Ruhezeiten.

● Ändern Sie Ihre Schlafgewohnheiten: Empfehlenswert sind getrennte Zimmer wegen des Fastengeruchs und des unterschiedlichen Frischluftbedürfnisses, auch um den beiden Fastern die Möglichkeit zu geben, in wachen Stunden Licht zu machen, aufzustehen, zu lesen – ohne den Partner zu stören.

● Das Sexualleben muß sich nicht verändern, kann es aber. Nehmen Sie Änderungen im Verhalten des Partners an.

● Respektieren Sie den Ruhewunsch des Partners unter allen Umständen.

Einander respektieren

● Die körperliche Hygiene bedarf besonderer Aufmerksamkeit – wegen des veränderten Körpergeruchs.

● Stimmungsschwankungen sind im Fasten normal. Akzeptieren Sie solche Schwankungen beim Partner. Nehmen Sie es ohne Murren an, wenn er sich häufiger zurückzieht.

● Natürlich werden Sie alles tun, um ihn um die Versuchung zu essen, zu rauchen, zu trinken herumzuführen.

Überwundene Versuchungen

Wir wären nicht Menschen, wenn Fasten für uns nicht voller Versuchungen wäre. »Nur einen Bissen!« oder »Ein Apfel kann doch nicht schaden!« Nein, ernsthaft schaden kann der Apfel nicht. Aber:

Bleiben Sie konsequent

■ Jeder kleine Bissen – was es auch sei – gefährdet Ihr Fasten, denn er macht Hunger auf mehr. Wer seine Magensäfte lockt, braucht sich nicht zu wundern, wenn sie nach Verdaubarem verlangen. Ein konsequentes Nichtessen ist wirklich leichter! Erfahrene Faster wissen das.

Wie ist es aber mit einer Tasse Kaffee – der hat doch keine Kalorien. Oder einem Eis – das hat zwar viele Kalorien, muß aber nicht gekaut werden. Kaffee und Eis sind starke Saftlocker für den Magen. Sie können ebenso wie alles andere Eßbare Hunger auslösen. Wirklich gefährlich ist es, der Versuchung zu erliegen, ein vollständiges Menü zu essen – mit Suppe, Fleischgericht und Nachtisch. Dies kann sehr ernste Folgen haben – von Leibkrämpfen bis zum Kreislaufversagen. Lesen Sie nach unter

Essen löst Hunger aus

»Aufbaufehler« (Seite 80). Was für den Aufbau gilt, trifft in erhöhtem Maße für das Fasten zu. Der konsequente Verzicht hat noch einen tieferen Sinn:

■ Jede überwundene Versuchung macht stark. Überwundene Ängste und überwundene Versuchungen sind es, die einen Menschen reifen und innerlich wachsen lassen.

Versuchungen widerstehen

Auch wenn es in den ersten Fastentagen besser ist, nicht in die Stadt zu gehen und vor Metzgereien und Bäckerläden stehenzubleiben, werden Sie das später mit einer erstaunlichen inneren Freiheit tun können. Sie werden in einem Lokal sitzen können, sich einen Pfefferminztee oder ein Glas heiße Zitrone ohne Zucker bestellen, vielleicht auch ein Glas frisch gepreßten Orangensaft, und ohne Hungergefühl zuschauen können, wie andere essen. – Stolz wie ein König kehren Sie heim! Gestärkt durch ein neues Selbstwertgefühl. Wie groß ist das Verlangen nach der Zigarette, nach Alkohol? Die Fastenzeit läßt – wie kaum eine andere Zeit im Leben – erkennen, ob Rauchen oder Trinken nur eine Angewohnheit war, die weggelassen werden kann, oder ob die Bin-

Ein neues Selbstwertgefühl

Viel und abwechslungsreich zu trinken, beugt Hungergefühlen und Gelüsten vor und hilft oft über schwache Momente hinweg.

dung an Tabak oder Alkohol schon sehr fest – suchtähnlich – geworden ist.

■ Eine Rauch- und Trinkpause während des Fastens ist nicht nur um der Gesundheit willen notwendig, sondern sie klärt auch die Lebensfrage: Bin ich **Verzicht** Herr oder Knecht meiner Ge- **einüben** wohnheiten? Auch hier gilt der Grundsatz: Ein klares und kompromißloses Nein zu Beginn der Fastenwoche erleichtert den Verzicht während des Fastens. Mit vielen kleinen Neins später quälen Sie sich nur unnötig.

Am Ende der Fastentage wird Ihnen soviel Mut zugewachsen sein, daß Sie zu ganz anderen Entscheidungen fähig sind. Zum Beispiel: Warum den begonnenen Verzicht auf falsche Gewohnheiten nicht fortsetzen? Fasten heißt Verzicht – in der Fastenzeit können Sie sich darin üben. Sie werden erleben, daß Verzichtenkönnen letztlich Gewinn bedeutet.
Schließlich haben Sie möglicherweise eine der schönsten menschlichen Fähigkeiten für sich neu erworben: Auch weniges genießen zu können.

**Genießen
lernen**

Weiterfasten?

Bedenken Sie zunächst: Dieses Buch richtet sich an Gesunde. Sollten Sie Zweifel haben, ob Sie weiterfasten sollen oder nicht, besprechen Sie diese Fragen mit Ihrem Hausarzt.

Fasten Sie ruhig weiter, solange Sie sich wohl fühlen, das Fasten als förderlich empfinden und noch »Gewichtsreserven« haben – wenn also alle Voraussetzungen für das selbständige Fasten gegeben sind. Ein wichtiges Zeichen dafür, daß Sie weiterfasten könnten, ist die gewohnte und gleichbleibende Leistungsfähigkeit, besser: die steigende.

Am besten ist es natürlich, wenn Sie von einem erfahrenen Arzt geführt werden (Adressen von Fastenärzten Seite 98).

▶ Von der dritten Woche an brauchen Sie allerdings eine besonders gute Vitamin- und Mineralstoffversorgung, da die Speicherung dieser Nährstoffe weniger lange vorhält.

Vitamin- und Mineralstoffgaben

Nehmen Sie 3mal täglich 1 Teelöffel eines Vitamin-Konzentrats (zum Beispiel PK 7) oder 1 Vitamin-Brausetablette (Multibionta oder Completovit),

außerdem 3mal täglich 1 Teelöffel eines Mineralsalzgemisches (zum Beispiel Basica).

Für den Kostaufbau (Seite 69) müssen Sie mehr Zeit einkalkulieren: Mindestens ein Viertel, besser noch ein Drittel der Fastendauer.

Sorgfältiger Kostaufbau

Für den verlängerten Kostaufbau gelten wenige, aber wichtige Ernährungsregeln:

● wenig essen,
● einfach essen,
● vollwertig essen und
● keine schwerverdaulichen Nahrungsmittel – noch kein Fleisch, eventuell etwas Fisch, keine Wurst, keinen Hartkäse, nichts Gebackenes.

Fasten als Auftakt zur Ernährungsumstellung

Richtig essen zu lernen ist oft wichtiger als fasten. Wer in seine alten Essensgewohnheiten zurückfällt, braucht sich über einen »Jo-Jo-Effekt« seiner Gewichtskurve nicht zu wundern.

Richtig essen nach dem Fasten

Vielleicht sollten Sie lieber dreimal im Jahr kurz fasten und sich danach immer wieder im disziplinierten, maßvollen Essen üben. So werden Sie stufenweise abnehmen (Seite 88) und vor allem Ihr Gewicht besser halten können. Eine wichtige

Hilfe dabei kann Ihnen das Buch »Richtig essen nach dem Fasten« sein (Bücher, die weiterhelfen, Seite 107).

Wie oft darf gefastet werden?

Sofern Sie sich vollwertig ernähren (Seite 83) und zu den gesunden Fastern mit Gewichtsreserven gehören, dürften Sie sogar jeden Monat fasten: 1 Woche fasten – 3 Wochen essen, warum nicht? Der Körper gewöhnt sich an diesen Rhythmus.

Fasten-Rhythmus

■ Entscheidend ist aber, daß jeder neue Kostaufbau neue Impulse für Ihre Ernährungsumstellung enthält. Bitte kein Fasten ohne einen weiteren Schritt zur Vollwertnahrung!

Wer wie sehr viele unserer Zeitgenossen zwar über-, aber leider mangelernährt ist, würde sich durch gehäuftes Fasten in verschlimmerten Mangel hineinmanövrieren. Fasten ist immer nur im Zusammenhang mit richtigem Essen danach zu sehen. Deshalb wurde das Zwillingsbuch geschrieben: »Richtig essen nach dem Fasten«. Es wird Sie sicher durch die Nachfastenzeit führen, die mindestens ebenso wichtig ist wie die Fastenzeit.

Hilfe für die Nachfastenzeit

Für viele Menschen wurde der Vorsatz »Einmal im Jahr wird gefastet« zur festen Regel und damit zu einer höchst nützlichen Lebenshygiene.

Feste Regel

Andere pflegen ein religiös motiviertes Fasten vor Ostern und im Advent; sie erleben körperliche Reinigung gemeinsam mit seelischer Klärung und geistiger Vertiefung.

Bauen Sie Fasten in dieser oder jener Form in Ihr Leben ein; es ist gut, eine Regel zu haben.

Aufbautage und Nachfastenzeit

Lernen Sie, wieder zu essen – der Kostaufbau ist wesentlicher Bestandteil der Fastenzeit und braucht Ihre volle Aufmerksamkeit. Der Körper schaltet auf das Fasten in der Regel schneller um als vom Fasten zum Essen. Essen Sie wenig, einfach und möglichst vollwertig, essen Sie in Ruhe, genießen Sie Ihre Mahlzeiten – Sie werden erstaunt sein, wie schnell Sie sich satt und zufrieden fühlen. Und noch etwas: Sie haben jetzt die Chance, Ihre Eß- und Trinkgewohnheiten kritisch unter die Lupe zu nehmen und abzulegen, was Sie als ungünstig empfinden.

Fastenbrechen und Kostaufbau

Einkaufen für die Aufbautage

Am fünften Fastentag gehen Sie einkaufen. Es wird Ihnen Spaß machen, mit Nahrung umzugehen, ohne von ihr abhängig zu sein.

Einkaufs-zettel Sie brauchen für 3 Aufbautage (pro Person angegeben):
● 1 Pfund gut reife Äpfel (ungespritzt),
● je 1 Beutel Kartoffel-, Tomaten- oder Spargelsuppe,
● Butter, 1 Frischkäse, 200 g Quark 20%ig oder Hüttenkäse, 2 Joghurt / Bioghurt,
● 1 Paket Knäckebrot, Vollkorn- oder Leinsamenbrot,
● ½ Pfund Backpflaumen oder 1 Kranz Feigen,
● 1 Flasche Molke oder Sauerkrautsaft.

Wenn Sie selbst kochen, brauchen Sie noch:
● 1 Kopf Salat, Karotten, Tomaten, Kartoffeln sowie die dazugehörigen Zubereitungsmittel (Rezepte ab Seite 72).

Sollten Sie die Gelegenheit haben, alle Gemüse und auch die Kartoffeln aus biologischem Anbau zu bekommen, werden Sie mehr Spaß am Essen haben – nach dem Fasten bekommt jeder einen feineren Geschmack –, und Sie essen gesünder. Wenn Sie darauf angewiesen sind, im Restaurant zu essen, dann wählen Sie das aus, was dem Aufbau-Speiseplan am ehesten entspricht.

Qualität entscheidet

Umschalten von Fasten auf Essen

George Bernard Shaw, Schriftsteller mit Fastenerfahrung, sagte: »*Jeder Dumme kann fasten, aber nur ein Weiser kann das Fasten richtig abbrechen.*« Warum so kompliziert? »Aufbau« heißt zunächst nichts anderes als Kostaufbau und damit Wiederaufbau alltäglicher Stoffwechsel- und Verdauungsfunktionen. Die Umschaltung vom Essen zum Fasten geschieht meist schneller als die Umschaltung vom Fasten zum Essen. Der Organismus hatte die Produktion von Verdauungssaft eingestellt. Jetzt muß er damit wieder beginnen. Das geschieht nicht sprunghaft, sondern stufenweise.

Umschaltung stufenweise

■ Der Kostaufbau ist wesentlicher Bestandteil der Fastenwoche. Er braucht ebenso viel Aufmerksamkeit, Zeit und Ruhe wie das Fasten selbst. Damit die Verdauungssäfte gut in Gang kommen und keine Beschwerden auftreten, sollten Sie sich die Regeln im blauen Kasten gut einprägen.

Ernährung umstellen

Die Aufbautage sind gleichzeitig kritische Auseinandersetzung mit den alten Eß- und Trinkgewohnheiten. Durch

Drei Essensregeln

● **Zeit nehmen!**
Schauen Sie nicht auf die Uhr. In Ruhe essen – das ist jetzt der wichtigste Termin, der Ihren Tag bestimmt.

● **Gründlich kauen!**
Die Verdauung beginnt im Mund. Jeden festen Bissen 35mal kauen, bis er flüssig ist. Schlingen schadet.

● **Schweigend essen!**
Nur so können Sie genießen, sich sättigen und befriedigt aufstehen.
Ihre ganze Aufmerksamkeit gehört jetzt der Nahrung. Üben Sie bei jeder Mahlzeit – als würden Sie demnächst geprüft, ob Sie essen können.

das Fasten wurden sie unterbrochen; jetzt dürfen jene über Bord geworfen werden, die Sie als ungünstig erkannt haben.

■ Zu der Grunderfahrung des Fastens – *ich fühle mich auch ohne Nahrung wohl und bin leistungsfähig* – kommt die Erfahrung, die Sie im Aufbau machen: *Ich brauche viel weniger Nahrung als zuvor.*

Sie sollten jetzt versuchen, neue Verhaltensweisen beim Essen einzuüben, die auf dieser Erfahrung aufbauen. Auch hierfür kann Ihnen das Buch »Richtig essen nach dem Fasten« eine wertvolle Hilfe sein.

Essen lernen

Speiseplan für die Aufbautage: Erster Aufbautag

Früh: Morgentee (Kräuter- oder leichter schwarzer Tee)
Vormittag: **Fastenbrechen:** 1 gut reifer oder 1 gedünsteter Apfel
Mittag: 1 Teller Kartoffel-Gemüse-Suppe
Nachmittag: Trinken (Früchtetee)
Abend: Tomatensuppe – Buttermilch mit 1 Teelöffel Leinsamen – 1 Scheibe Knäckebrot

Kartoffel-Gemüse-Suppe

Mittags Sie brauchen für 1 Portion:
1 kleine Kartoffel (etwa 60 g) · je 1 Stück (30 g) Möhre (Karotte), Porree (Lauch) und Sellerieknolle · ¼ l Wasser · je 1 Prise frisch gemahlene Muskatnuß und Majoran · ½ Teelöffel Hefeflocken · 1 Teelöffel gekörnte Gemüsebrühe · 1 Teelöffel frisch gehackte Petersilie

Die Kartoffel und das Gemüse schälen, waschen und in feine Scheiben schneiden. Das Wasser zum Kochen bringen, Gemüse und Kartoffel darin 15 Minuten zugedeckt gar kochen. Die Suppe vom Herd nehmen, mit den Gewürzen, den Hefeflocken und der gekörnten

Brühe abschmecken; eventuell pürieren, dann noch etwas heißes Wasser zufügen. Mit der Petersilie bestreuen.

Tomatensuppe

Abends Sie brauchen für 1 Portion:
250 g reife Tomaten · ½ Zwiebel · 1 Teelöffel Öl · ¼ l Wasser · 1 Teelöffel gekörnte Gemüsebrühe · je 1 Prise Meersalz, frisch gemahlenen weißen Pfeffer und getrockneten Thymian · ½ Teelöffel Hefeflocken · 1 Teelöffel Tomatenmark · 1 Teelöffel gehackte Petersilie oder Schnittlauchröllchen

Die Tomaten waschen, von den Stielansätzen befreien und würfeln. Die Zwiebel schälen und kleinwürfeln. Das Öl erhitzen, die Zwiebel- und die Tomatenwürfel zufügen und in etwa 10 Minuten weich dünsten. Die Masse durch ein Sieb streichen. Das Wasser aufkochen lassen, die gekörnte Brühe einstreuen, das Tomatenmus zufügen, mit den Gewürzen, den Hefeflocken und dem Tomatenmark abschmecken, mit der Petersilie oder dem Schnittlauch bestreuen.

▶ **Für morgen:** 2 Backpflaumen oder 1 Feige in ½ Tasse Wasser einweichen, zugedeckt über Nacht stehenlassen.

Nicht vergessen

Zweiter Aufbautag

Früh: 1 Glas Sauerkrautsaft oder Molke Backpflaumen oder Feige – Weizenschrotsuppe. Für Hungrige: 50 g Kräuterquark, 2 Scheiben Knäckebrot
Vormittag: Trinken (Mineralwasser)
Mittag: Blattsalat – Pellkartoffeln – Möhrengemüse – Bioghurt mit Sanddorn und Leinsamen
Nachmittag: Trinken
Abend: Möhrenrohkost – Getreide-Gemüse-Suppe – Dickmilch mit Leinsamen – 1 Scheibe Knäckebrot

Weizenschrotsuppe

Früh Sie brauchen für 1 Portion:
2 Eßlöffel feingeschroteten Weizen · ¼ l Wasser · 1 Prise Meersalz · 1 Eßlöffel frisch gehackte gemischte Kräuter wie Petersilie und Schnittlauch

Den Weizenschrot im Kochtopf erwärmen, ohne ihn zu bräunen. Das Wasser angießen, einmal aufkochen und den Schrot bei schwacher Hitze in etwa 10 Minuten ausquellen lassen, eventuell abseihen. Die Suppe mit dem Salz und den Kräutern abschmecken.

Blattsalat

Mittags

Sie brauchen für 1 Portion:
¼ Kopfsalat · je 1 Prise Meersalz und frisch gemahlenen weißen Pfeffer · ½ Teelöffel Obstessig oder Zitronensaft · 1 Teelöffel Sonnenblumenöl · 1 Teelöffel Schnittlauchröllchen

Den Salat zerpflücken und die einzelnen Blätter unter fließendem Wasser waschen, trockenschleudern und in eine Schüssel geben. Aus dem Salz, dem Pfeffer, dem Essig oder dem Zitronensaft und dem Öl eine Sauce rühren und über den Salat träufeln. Den Schnittlauch darüberstreuen.

Pellkartoffeln

Sie brauchen für 1 Portion:
3 kleine Kartoffeln · etwas Kümmel

Die Kartoffeln unter fließendem Wasser gründlich bürsten, Wasser zum Kochen bringen, den Kümmel zufügen und die Kartoffeln in 20 bis 25 Minuten weich dämpfen oder kochen.

Fastenbrechen und Kostaufbau

Möhrengemüse

Sie brauchen für 1 Portion:
*100 g Möhren (Karotten) · 3 Eß-
löffel Wasser oder Gemüsebrühe ·
je 1 Prise Meersalz und frisch
geriebene Muskatnuß · 1 Teelöffel
Sonnenblumenöl · 1 Teelöffel
frisch gehackte Petersilie*

Die Möhren unter fließendem
Wasser gründlich bürsten, eventuell schaben und in dünne
Scheiben schneiden. Das Wasser oder die Gemüsebrühe zum
Kochen bringen, die Möhren-
scheiben zufügen und darin in
etwa 10 Minuten garen. Die
Möhren vom Herd nehmen,
mit dem Salz und dem Muskat
abschmecken, das Öl unterrüh-
ren und das Gemüse mit der
Petersilie bestreuen.

Bioghurt mit Sand-
dorn und Leinsamen

Sie brauchen für 1 Portion:
*1 Becher Bioghurt (1,5%) · 1 Tee-
löffel mit Honig gesüßter Sanddornsaft · 1 gehäufter Teelöffel
Leinsamen*

Den Bioghurt mit dem Sanddorn in eine Dessertschale geben und kurz vor dem Verzehr
mit dem Leinsamen bestreuen.

Möhrenrohkost

Sie brauchen für 1 Portion: **Abends**
*2 Eßlöffel saure Sahne · 1–2 Tee-
löffel Zitronensaft · einige Blätt-
chen Zitronenmelisse · 100 g Möhren (Karotten) · ½ Apfel · 1 Salatblatt*

Die saure Sahne mit dem Zitronensaft und der gehackten
Zitronenmelisse verrühren. Die
Möhren unter fließendem Wasser gründlich bürsten, eventuell schaben und auf der feinen Rohkostreibe in die Sauce
raspeln. Den Apfel waschen,
vierteln, vom Kerngehäuse
befreien und ebenfalls in die
Sauce reiben. Alles mischen
und die Rohkost auf dem gewa-
schenen Salatblatt anrichten.

Getreide-Gemüse-Suppe

Sie brauchen für 1 Portion:
*½ kleine Zwiebel · 1 Teelöffel Oli-
venöl · 1 Eßlöffel feingeschroteten
Weizen · ¼ l Gemüsebrühe oder
Wasser · 50 g Sellerieknolle ·
je 1 Prise Meersalz und getrockne-
tes Liebstöckel · 1 Teelöffel frisch
gehackte Petersilie*

Die Zwiebeln schälen, feinhak-
ken und in dem Öl leicht bräunen. Den Weizenschrot zufügen und ebenfalls leicht bräunen lassen. Die Gemüsebrühe

oder das Wasser zugießen, kurz aufkochen und den Schrot bei schwacher Hitze in etwa 10 Minuten ausquellen lassen. Den Sellerie gründlich waschen, schälen und feinreiben. Die Schrotsuppe mit dem Salz und dem Liebstöckel abschmecken, den Sellerie und die Petersilie einstreuen.

Dickmilch mit Leinsamen

Sie brauchen für 1 Portion:
3 Eßlöffel Dickmilch · 1 Teelöffel mit Honig gesüßter Sanddornsaft · 1 gehäufter Teelöffel Leinsamen · 1 Scheibe Knäckebrot

Die Dickmilch mit dem Sanddorn glattrühren, in ein Glasschälchen füllen und kurz vor dem Verzehr mit dem Leinsamen bestreuen. Dazu die Scheibe Knäckebrot essen.

Dritter Aufbautag

Die Weichen stellen

Vom dritten Aufbautag an werden die Weichen gestellt für die richtige Ernährung nach dem Fasten – und damit für eine Korrektur von Ernährungsfehlern. Es gibt kaum eine bessere Gelegenheit dafür, als nach einem Nahrungsverzicht. Entscheiden Sie zunächst, wohin Ihr Nahrungsbedürfnis Sie jetzt führt: lieber frische Salate oder lieber etwas Warmes.
Auf Seite 76 finden Sie drei individuelle Vorschläge für den dritten Aufbautag.

Birchermüsli

Müsli-Rezept für die Frischkost-Variante

Für den Frischkosttag; Sie brauchen für 1 Portion:
1 Tasse Milch oder 1 Becher Joghurt · 1 kleinen Apfel · 2 Teelöffel kernige Haferflocken · 1 Teelöffel geriebene Nüsse · 1 Teelöffel Honig oder eingeweichte Rosinen · 1 Teelöffel Zitronensaft

Die Milch (den Joghurt) in ein Glasschälchen füllen. Den Apfel gut waschen, abtrocknen, halbieren und vom Kerngehäuse befreien; ungeschält reiben oder kleinschneiden. Die Haferflocken und die geriebenen Nüsse darüberstreuen, gut miteinander vermischen. Apfel, Haferflocken und Nüsse in die Milch (den Joghurt) geben, den Honig (die eingeweichten, abgetropften Rosinen) dazugeben und mit dem Zitronensaft würzen.
● **Mein Tip:** Sie können das Müsli täglich anders zubereiten mit verschiedenen Obstsorten, mit Kollathflocken oder Frischkornschrot, mit Hasel- oder Walnüssen.

Fastenbrechen und Kostaufbau

Vorschläge für den dritten Aufbautag – Sie haben die Wahl!

1 **Frischkost** – für alle, die Rohkost mögen und langfristig weiter abnehmen wollen (800 Kalorien).
Früh: Morgentee, später Birchermüsli
Vormittag: (Obst nach Belieben)
Mittag: Große Rohkostplatte (Blattsalat und Rote Bete mit Meerrettich) und 1 Pellkartoffel
Nachmittag: (1 Apfel und 12 Hasel- oder Walnüsse)
Abend: Große Rohkostplatte, zusammengestellt nach Geschmack

■ Wichtig: Rohkost muß frisch zubereitet, frisch gegessen und sehr gut gekaut werden.

2 **Lieber etwas Warmes** – besonders geeignet für Berufstätige, Studenten, »Schnellköche« (etwa 1000 Kalorien).
Früh: 2 eingeweichte Backpflaumen oder 1 Feige, Schrot- oder Frischkornsuppe mit einem Schuß Milch
Für Mittag vorbereiten: Fertige Kruskamischung auf der noch heißen Kochplatte im gerade benutzten Suppentopf ankochen, danach in die »Kochkiste« stellen (Topf in eine Decke einschlagen und ins Bett oder in eine Sesselecke stellen).
Mittag: Obst als Frischkost, Kruskamischung mit Milch, Sauer- oder Buttermilch
oder Pellkartoffeln mit Quark (und Leinöl, wer es mag)
Abend: Kartoffel-Gemüsesuppe (wie am ersten Aufbautag, Rezept Seite 72, aber mit gröberen Kartoffel- und Gemüseschnitzen)
oder Bratkartoffeln mit Sauerkraut-Frischkost
oder Vollkornbrot, Butter, Frischkäse, Tomate, Paprikaschote oder Gurke.

3 **Gemischte, ausgewogene Vollwertkost** (1000 bis 1500 Kalorien), wie sie am besten von der Hausfrau zubereitet wird. Anleitung und Rezepte finden Sie in dem weiterführenden Ratgeber »Richtig essen nach dem Fasten« (Bücher, die weiterhelfen, Seite 107).

Für die Nachfastenzeit gilt die Faustregel:

Morgens: Birchermüsli oder Frischkornsuppe
Mittags: Frischkost vor dem Essen
Abends: Sparsam essen und nicht zu spät

■ In jedem Fall: Ernährungsgewohnheiten überdenken. Anregungen dazu auf Seite 83.

Tips für die Aufbauzeit

Der Körper in der Aufbauzeit

Ein Drittel der Fastenzeit soll für den Kostaufbau verwendet werden. Der Aufbau ist wichtiger als das Fasten und braucht die gleichen Voraussetzungen: Ruhe, Geborgenheit, Zeit.

Die Saftproduktion

Kein Magensaft – kein Hunger

Im Fasten werden keine Verdauungssäfte produziert. In der Aufbauzeit werden sie zunächst in kleiner Menge und dann stufenweise immer mehr bereitgestellt. Wie schnell und in welcher Menge Ihre Verdauungssäfte wieder fließen, erkennen Sie an Ihrem »Magengefühl«. Essen Sie jetzt nicht einfach auf, was man Ihnen vorgesetzt hat, sondern bestimmen Sie selbst Ihr verträgliches und verdaubares Nahrungsmaß für jeden Tag und für jede Mahlzeit neu! Der im Fasten gereinigte Körper sendet »Signale«. Sie werden deutlicher wahrgenommen als je zuvor.

● *»Ich bin satt«* heißt: Mein Hunger ist gestillt. Mehr brauche ich nicht. Ich höre auf – wichtig! – und lasse den Rest stehen.

● *»Ich bin voll«* bedeutet: Mein Magen ist voll gefüllt. Es ist mehr, als ich verdauen kann. Halbverdaute Nahrung macht Beschwerden wie Völlegefühl, Blähungen; ich fühle mich nicht wohl.

● *»Ich kann nicht mehr«* meint: Der Magen ist jetzt überdehnt. Die Verdauungsfähigkeit ist weit überzogen.

Satt sein heißt aufhören

■ Die Produktion von Verdauungssaft wird angeregt durch: kräftiges Kauen, Rohkost, Fruchtsäuren (der rohe Apfel), Milchsäuren (Sauermilch, Joghurt), Gewürzkräuter.

■ Die Produktion von Verdauungssaft wird blockiert durch: Eile, Hetze, kalte Füße, Ärger, eiskalte Speisen.

Die Verdauung unterstützen

Der Kreislauf

Ungefähr ein Drittel der gesamten Kreislaufarbeit ist nötig, um die Verdauungsarbeit zu bewältigen. Dieses Drittel wurde im

Tips für die Aufbauzeit

Aufbau-flauten

Fasten eingespart. Wundern Sie sich deshalb nicht, wenn Ihre körperliche Leistung in den ersten beiden Aufbautagen ein wenig absinkt. Es kann sein, daß Sie häufiger müde sind, eine gewisse Leere im Kopf und gelegentlich auch Schwindel empfinden. Vor allem nach den Mahlzeiten fließt eine beträchtliche Blutmenge in den Bauchraum und steht dann dem Kopf oder der Muskulatur nicht zur Verfügung.

▶ Richtiges Verhalten: Legen Sie sich nach jeder Mahlzeit hin, mittags, wenn möglich ins Bett. Vor dem Aufstehen Muskeln spannen: dehnen, räkeln, strecken; danach entspannen. Machen Sie keine übertriebenen Anstrengungen.

Der Wasserhaushalt

Der im Fasten ein wenig »ausgetrocknete« Organismus nimmt in drei Aufbautagen bis zu 1 Liter Wasser auf – sichtbar an der Waage (Kapitel »Gewichtsabnahme« und »Ihre Gewichtsbilanz« Seiten 56 bis 58). Das Wasser wird für die Verdauungssaftproduktion und zur besseren Befeuchtung aller Schleimhäute gebraucht. Außerdem hilft es, den Kreislauf aufzufüllen, der spätestens am dritten Aufbautag

wieder ganz stabil ist. Das Wasser bewirkt eine bessere Innenspannung aller Körperzellen, sichtbar an der Straffung der Gesichtshaut und dem Verschwinden von kleinen Fältchen. Eine künstliche Verminderung dieses »Betriebswassers« durch Entwässerungsmittel ist widersinnig und gefährlich.

▶ Darum: Bitte trinken Sie weiterhin mehr, als der Durst verlangt – zwischen den Mahlzeiten! Liefern Sie Ihrem Darm genügend Flüssigkeit für einen weichen, fülligen Stuhl!

»Betriebs-wasser« tanken

Die Darmfunktion

Der Darm kommt erst in Gang, wenn er gefüllt ist. Also geduldig abwarten!
Füllmittel und Weichmacher:
● Leinsamen – zu jeder Mahlzeit 2 Teelöffel voll – oder Kleie,
● Rohkost und Gemüse,
● Vollkornbrot, Vollkornflokken, Weizenkleie.
Die erste selbständige Entleerung stellt sich am zweiten, oft aber auch erst am dritten Aufbautag ein.

Darmfüll-mittel

■ Keine Abführmittel!
Der Enddarm ist oft noch von etwas trockenem Fastenstuhl verstopft. Sie spüren, daß sich der Darm wohl bewegt, daß der

Wieder-eröffnung des Magen-Darm-Kanals

After sich aber nicht öffnen will. Hier genügen Mittel, die den gesamten Magen-Darm-Kanal nicht stören und nur den Enddarm betreffen:
● Klistier mit 100 ccm warmem Wasser (Klistierball),
● ein kleiner Einlauf mit ½ l Wasser
● Glycerin-Zäpfchen (in allen Apotheken erhältlich).

Der letzte Einlauf wurde am letzten Fasten- oder am ersten Aufbautag gemacht. Die Hilfe für den Enddarm ist so oft notwendig, wie die Entleerung noch nicht befriedigend ist. In den folgenden Tagen geht dann meist alles von selbst. Wer zur Verstopfung neigt, sollte sich einige Grundsätze einprägen:

Förderlich für eine normale Stuhlentleerung:
● Morgens nüchtern 1 Glas Wasser (für Nervöse warm, für Träge kalt) oder ½ Glas Wasser, gemischt mit ½ Glas Sauerkrautsaft,
● eingeweichte Backpflaumen oder Feigen oder Müsli,
● intensiv gekaute, ballaststoffreiche Nahrung (Leinsamen, Rohkost, Gemüse, Vollkornbrot, Vollkornflocken, Weizenkleie),
● Bewegung in jeder Form,
● Zeit und Gelassenheit für den Stuhlgang.

Hinderlich für eine normale Stuhlentleerung:
● Spätes Aufstehen,
● Trägheit in jeder Form, sitzende Tätigkeit ohne Ausgleich,
● Hektik, Termindruck,
● kalte Hände oder kalte Füße,
● ungeduldiges Pressen.
Auch jahrelange Stuhlverstopfung berechtigt nicht zu vorzeitiger Aufgabe der Bemühungen.

Natürliche Mittel

▶ Hilfen bei Blähungen: Feucht-warme Leibauflage mit Wärmflasche bei Menschen, die leicht frieren, kalte Leibauflage (Prießnitz-Leibauflage, Seite 50) für Menschen mit Wärmeüberschuß, Kümmel-Fenchel-Tee oder »Vier-Winde-Tee«, Abführen mit natürlichen Mitteln: Klistier, Einlauf, Glycerin-Zäpfchen (in allen Apotheken erhältlich).

■ Jeder schlecht gekaute oder zu viel gegessene Bissen bläht! Bei hastigem Essen wird Luft geschluckt.

Die Fasten-»Nachwehen«

Wie im Fasten, kann es auch in den ersten beiden Aufbautagen zu einem kurzen Wiederaufflackern der Beschwerden kommen, die vor dem Fasten bestanden. Dieses eigenartige Verhalten des Körpers ruft manche Enttäuschung hervor, ist aber keineswegs Zeichen eines erfolglosen Fastens. Am nächsten Morgen ist meist alles in Ordnung. Die Beschwerden weichen einem steigenden Wohlbefinden.

Nur kurze Zeit

Die Frage, was durch das Fasten eigentlich erreicht worden ist, kann deshalb erst nach dem Ende des Aufbaues entschieden werden. Ihre »Beschwerdebilanz« sollten Sie deshalb nicht zu früh beenden.

Aufbaufehler

Im Fasten wiedergewonnene Lebensfreude und Genußfähigkeit verführen allzuoft dazu, schon am dritten oder vierten Aufbautag »über die Stränge zu schlagen«. Was einem da alles passieren kann, demonstriert am besten eine Gruppe von Ausgefasteten, die mir ihre Erlebnisse vor der Abreise freimütig schilderten.

Aus Fehlern lernen

Drei Männer und zwei Frauen feierten den Abschied von ihrer Fastenzeit. Nach dem Aufbau-Abendessen hatten sie sich in einem guten Restaurant zusammengefunden.

Herr W. hatte sich schon im Fasten ein ordentliches Steak erträumt. Gierig und ohne etwas übrig zu lassen, schlang er es hinunter. Drei Stunden später brauchte er die Nachtschwester wegen erbärmlicher Leibkrämpfe. »Ich konnte nicht leben und nicht sterben« – so schilderte er seinen Zustand. Erst als er halbverdaute Speisereste erbrochen hatte, sank er totenblaß, schweißbedeckt und endlich erleichtert ins Bett.

Nicht »über die Stränge schlagen«

■ Die Zersetzungsprodukte von nichtverdautem Eiweiß wirken wie Gift.

Frau S. hatte ein ganzes Menü gegessen und hinterher noch Eis mit Sahne. Ein geblähter Leib machte ihr deutlich, daß ihr das nicht bekommen war. Aber schlimmer noch: Am nächsten Morgen zeigte die Waage ein Plus von 1,3 Kilogramm! 3 Fastentage umsonst!

Erfolge nicht leichtsinnig verspielen

■ Jedes Zuviel schlägt sofort zu Buche.

Kein Alkohol Herr A. freute sich zu lange am guten Wein. Ihn mußten die Kameraden nach Hause und ins Bett bringen. Das Labor enthüllte, was geschehen war: Seine Leberwerte waren sprunghaft angestiegen.

■ Genauso wie im Fasten hat die Leber im Aufbau Schonzeit. Die Toleranz für Alkohol ist herabgesetzt: kleine Mengen können bereits betrunken machen und die Leberzellen schädigen.

Kaffee wirkt extra-stark Frau K. hatte bescheiden gegessen und sich danach einen Kaffee bestellt. Sie wunderte sich, daß die Nacht nicht enden wollte. Hellwach lag sie da: »Ich habe doch sonst nach Kaffee gut geschlafen?«

■ Das Nervensystem reagiert jetzt sensibler auf Kaffee – wie auch auf Medikamente.

Bei guten Vorsätzen bleiben! Herr N. hatte sich Fisch servieren lassen. Erstaunlich früh war er gesättigt und ließ die Hälfte stehen. Er hatte keine Beschwerden. Nur: Eigentlich hatte er den Aufbau exakt machen wollen. Warum eigentlich ließ er sich überreden, in das Restaurant mitzugehen?

Und überhaupt: Die Gruppe war im Fasten fröhlich und zu Späßen aufgelegt gewesen. Warum war es bei der Abschiedsfeier so fad zugegangen? Sie hatten es doch fertiggebracht, bei »Gänsewein« (Wasser) zu tanzen und Spaß zu haben. Gelang das Feiern jetzt nicht, weil Essen und Trinken so sehr im Mittelpunkt standen?

Fröhlich sein bei »Gänsewein«

■ Die Aufbauzeit läßt deutlicher als sonst erkennen, welche unbewußten Verhaltensschwierigkeiten wir haben.

Wir erinnern uns noch einmal an das Wort von Bernard Shaw: *»Jeder Dumme kann fasten, aber nur ein Weiser kann das Fasten richtig abbrechen.«*

Der Aufbau ist der wichtigste Teil der Fastenzeit. Er braucht Geduld und Zuwendung.

Tips für die Nachfastenzeit

Den Teufels-kreis durch-brechen

Wie jetzt weiter? Sie haben in der Fasten- und der Aufbauzeit viele Erfahrungen gesammelt. Packen Sie die Gelegenheit beim Schopf, den Teufelskreis falscher Lebens- und Ernährungsgewohnheiten zu durchbrechen.

Den Fastengewinn erhalten

Sie spüren, daß Sie jetzt die Kraft haben, Ihrem Leben hier oder da eine andere Richtung zu geben. Nützen Sie das entschlossen aus:

● Nehmen Sie ein Blatt Papier und schreiben Sie auf, was Sie ändern möchten. Tun Sie das unbedingt noch während der Fasten- und Aufbauzeit!

● Machen Sie für die nächsten Wochen ein Ernährungsprogramm und einen Plan für die Bewegungsart, die zu Ihnen paßt und die Sie verwirklichen können.

● Verzichten Sie in Zukunft weitgehend auf Nikotin und Alkohol.

● Helfen Sie, Selbsthilfegruppen aufzubauen. Geben Sie Ihre Erfahrungen weiter, helfen Sie anderen (Seite 87).

Wiederholt fasten

Wiederholen Sie die Fastenwoche, sobald Ihnen der Beruf oder Ihr Privatleben Zeit und Gelegenheit dazu bieten. Beim zweiten oder dritten Fasten wird es leichter gehen als beim erstenmal. Jedes Fasten ist anders und bringt neue interessante Erfahrungen. Wer sein Gewicht in der Zwischenzeit zu halten vermag, kann es in mehreren kurzen Fastenzeiten stufenweise reduzieren (Seite 88).

Erfahrung macht stark

▶ Nutzen Sie das neue Wissen, daß Ihr Körper durch Fasten zeitweise ganz ohne Nahrung auskommt, daß Sie sich dabei wohlfühlen und auch leistungsfähig sein können.

● Lassen Sie die Mahlzeit aus, auf die Sie keinen Appetit haben.

● Fasten Sie bei Fieber, Durchfall, Magenverstimmung. Der Körper wird es Ihnen danken.

● Planen Sie die nächste Fastenwoche schon jetzt fest ein – vielleicht mit Ihren Freunden zusammen.

Essen nach Maß

Setzen Sie fort, was Sie beim stufenweisen Kostaufbau gelernt haben:

Innensignale beachten

▶ Essen Sie nach dem Gefühl, solange Sie sich auf Ihre Innensignale verlassen können. »Wenn ich satt bin, höre ich auf.« Dann brauchen Sie keine Kalorientabelle – aber die Waage!

Die meisten Menschen allerdings essen besser nach dem Verstand. Hierfür brauchen Sie einen Ernährungsratgeber, der Sie weiterführen kann. Zu diesem Thema finden Sie auf Seite 107 einige ausgezeichnete Bücher. Auch das Buch »Richtig essen nach dem Fasten« wird Ihnen sicher eine Hilfe sein.
Nachdem Sie gefastet haben, wird Ihnen eine 800- oder 1000-Kalorien-Kost reichlich vorkommen, und Sie werden schnell satt sein. Satt und zufrieden, weil diese Nahrung ausreicht, weil sie trotz kleiner Kalorienzahl alles enthält, was Ihr Körper braucht.
Wer eine kalorienarme Vollwertkost auf die Dauer nicht durchhalten kann, erinnere sich an den Entlastungstag:

▶ Gewöhnen Sie sich an, jede Woche regelmäßig einen Obst-, Reis- oder Rohkost-Tag einzulegen (an jedem Montag oder Freitag oder an beiden Tagen).
Im Ratgeber »Richtig essen nach dem Fasten« finden Sie eine Fülle von Rezepten für andere Entlastungstage, zum Beispiel Kartoffel-, Milch- oder Sauerkraut-Tage. Entscheidend ist, daß Sie Ihren Entlastungstag zur neuen Gewohnheit werden lassen.
Gehören Sie zu jenen Menschen, die oft Hunger haben? Dann handeln Sie richtig, wenn Sie fünf- bis sechsmal täglich essen – kleine Mahlzeiten, die ruhig und ausgiebig gekaut werden sollten.

Jede Woche Entlastungstag

Bedarfsgerecht essen

Umstellung auf Vollwerternährung

Die häufigsten Zeiterkrankungen, an denen wir laborieren, sind durch falsche Ernährung mitverursacht. Wir sind quantitativ überernährt, qualitativ aber unterernährt. Längst ist klar, daß Pillen und Spritzen nicht helfen können. Für jeden, der dies erkennt, gibt es nur eine Konsequenz: Ernährungsumstellung!

Tips für die Nachfastenzeit

Vollwertige Ernährung – dazu brauchen Sie nur etwas Wissen über die richtige Auswahl und Zubereitung.

12 einfache Regeln weisen den Weg

● *Vollkornbrot* statt Weißbrot und -brötchen. Aus vollem Korn, frisch geschrotet oder fein gemahlen, können nahezu alle Brotsorten hergestellt werden; suchen Sie sich aus, was Ihnen am besten schmeckt und bekommt – vom Knäckebrot bis zu grobkörnigem Brot. Vollkornbrot sättigt schneller und nachhaltiger.

● *Vollmehl* statt Weißmehl – am besten frisch gemahlen –, weil in der dunklen Rinde des **Vollkorn** vollen Korns die besten Stoffe zu finden sind: Vitamine und Mineralstoffe, hochwertige Öle und Eiweiße.

● *Mehr Frischkost* – Gemüse und Obst – auch vor warmen Mahlzeiten. Pflanzenwirkstoffe werden durch Kochen zerstört. **Frischkost vor dem Essen**

● *Sehr wenig Zucker und Süßigkeiten.* Konfitüren, Schokolade, Kuchen, Kekse, Limonaden, Cola und Eis sind biologisch wertlos; genießt man sie oft und im Übermaß, machen sie dick und zerstören Zähne und Gesundheit. Süßen Sie Speisen sparsam mit Honig, Apfel- oder Birnendicksaft, auch mit Datteln, Feigen und getrockneten Bananen. Diabetiker und Übergewichtige süßen besser mit Süßstoff, falls nötig. **Sparsam und richtig würzen**

● *Wenig Salz,* weil es Wasser im Körper staut, den Hochdruck begünstigt und Herz und Nieren belastet. Würzen Sie mit Grünkräutern oder Kräuterpulver. Im übrigen tragen hochwertige Lebensmittel Würze und Geschmack in sich selbst.

● *Sparsam mit Fett.* Der Bundesbürger ißt doppelt so viel wie er braucht. Kaufen Sie magere Wurst- oder Käsesorten, achten Sie auf versteckte Fette in den Nahrungsmitteln. Butter sollten Sie roh essen; durch Erhitzen verliert sie an Qualität. Verwenden Sie anstelle von Schweineschmalz und Hartfetten Pflanzenöl und -margarine, weil sie biologisch aktive Stoffe enthalten. **Fett meiden**

Umstellung auf Vollwerternährung

Nahrung richtig zusammenstellen

● Das tägliche *Eiweiß-Angebot* sollte *breit gefächert* sein. – Bei vollwertiger Mischkost: Zwei Drittel aus Pflanzen und Getreide; ein Drittel aus Milchprodukten und Eiern, Fleisch und Fisch.

Bei vegetarischer Vollwert-Kost: Zwei Drittel aus Pflanzen und Getreide; ein Drittel aus Milchprodukten und Eiern, Soja, Hefe und Nüssen.

● Auf die *richtige Zusammensetzung der Nahrung* achten. Ihre tägliche Nahrungszufuhr sollte

zu 12 bis 15% aus Eiweiß,

zu 30 bis 35% aus Fett und

zu 50 bis 60% aus Kohlenhydraten

bestehen. Eiweiß-»Mast« ist ebenso schädlich wie eine zu hohe Zufuhr von Fett und Kohlenhydraten.

Trinken, was der Körper braucht

● *Getränke sinnvoll wählen.* Was der Körper wirklich braucht: klares, gutes Wasser. Geschmacklich verändert und bereichert um natürliche Heilkräfte ist es in Kräutertees, kalorienreich in Fruchtsäften, die deshalb zur Hälfte mit Wasser verdünnt werden müssen. Milch ist ein flüssiges Nahrungsmittel; ihr Kalorien- und Eiweißgehalt muß berücksichtigt werden. Kaffee und Schwarztee sollten Sie nur trinken, wenn Sie Anregung brauchen, denn beide Getränke sind Stimulanzien. Wein, Bier und Spirituosen sind Genuß- und Rauschmittel – je nachdem, in welcher Menge sie getrunken werden; als Durstlöscher sind sie ungeeignet. Außerdem enthalten sie viele Kalorien.

Auf Qualität achten

● *Qualität ist wichtiger als Quantität:* Fleisch, Geflügel und Eier nicht von Mast- oder Käfigtieren, sondern von natürlich ernährten Tieren, die Auslauf im Freien haben.

Gesund vom Anbau her: Kompostgedüngtes Gemüse und Obst ist nicht nur gesünder und besser im Geschmack, sondern auch haltbarer als kunstgedüngtes und mit Spritzmitteln behandeltes.

Naturbelassen und frisch zubereiten

● *So naturbelassen wie möglich:* Möglichst ohne eingreifende Verfahren, ohne chemische Schönungs- und Konservierungsmittel, so schonend wie möglich zubereitet.

● *So frisch wie möglich:* Die Zeit zwischen Ernte, Kauf, Zubereitung und Verzehr soll so kurz wie möglich sein. Das ist besonders wichtig für Frischsäfte und Rohkost; sie verlieren an Wert und Geschmack, wenn man sie auch nur eine halbe Stunde stehenläßt. Im übrigen: Frisches Gemüse ist immer wertvoller als Konservengemüse.

Tips für die Nachfastenzeit

Auch im Alltag vollwertig ernähren

Ernährungsgewohnheiten überdenken

Fasten unterbricht alteingefahrene Ernährungsgewohnheiten. Nach einem Fasten gelingt die Umstellung, die früher so schwierig schien. Sie müssen ja nicht alles auf einmal ändern – machen Sie es Schritt für Schritt, aber ändern Sie Ihre Ernährungsgewohnheiten auf jeden Fall!
Von den Professoren Kollath und Warning stammt die einprägsame Formel, nach der sich jeder leicht orientieren kann:

$$v \qquad v \qquad m \qquad m$$
vollwertig – vielseitig – mäßig – mager

Gleichgültig, in welcher Alltagssituation Sie sich befinden mögen: Überdenken Sie Ihre Ernährungsgewohnheiten und beginnen Sie mutig, sich auch im Alltag vollwertig zu ernähren. Anregungen finden Sie auf Seite 84/85.

Verzicht auf Nikotin und Alkohol

Abschied vom blauen Dunst

Wollten Sie nicht schon lange das *Rauchen aufgeben?* Haben Sie bemerkt, daß Fasten eines der wirkungsvollsten Hilfsmittel dabei ist? Für Ihre durch das Fasten stark sensibilisierte Geschmackswahrnehmung ändert sich auch der Geschmack der Zigarette. Häufig schmeckt sie wie Stroh: fade, gelegentlich sogar widerwärtig. Nachdem Sie während Ihrer Fastenwoche nicht geraucht haben, wissen Sie, daß der Entschluß verwirklicht werden kann. Ihr Nichtraucher-Training hat schon begonnen!
Sie haben sich in der Fastenwoche selbst bewiesen, daß Sie *auf Alkohol verzichten können.* Die Trinkpause war für Ihre Leber heilsam, auch für Ihr Selbstbewußtsein wichtig.

Trinkpausen bewahren vor Abhängigkeit

Wer gewohnt ist, regelmäßig Alkohol zu trinken, ist ständig in Gefahr, unversehens in Abhängigkeit zu geraten. Nachdem Sie eine Woche lang keinen Tropfen getrunken haben, sind Sie jetzt stark genug, Trinkpausen einzulegen.
Wenn Sie aus der Erfahrung der Fastenwoche eine gewisse Abhängigkeit erkennen, sollten

Hilfe bei Alkoholproblemen

Sie nicht zögern, Kontakt mit der Gruppe der »Anonymen Alkoholiker« aufzunehmen – eine Gruppe von Erfahrenen, die sich gegenseitig helfen. Fasten und Freunde bieten neue Ansätze zur Überwindung. Adresse: *AA Kontaktstelle,* Landwehrstraße 9, 80336 München.

Selbsthilfegruppen

Gleichgültig, ob es um Essen, Trinken, Rauchen oder um Lebenserfahrung geht – der einzelne wird es immer schwerer haben als eine Gemeinschaft, die das gleiche Ziel hat.
Wer mit der Neigung zum Überessen fertigwerden will, tut gut, sich mit anderen, die das gleiche Problem haben, zusammenzusetzen. In Amerika sind es die *Overeaters anonymous* (OA) und die *Weight Watchers,* bei denen man sich mit Erfolg gegenseitig hilft. In Deutschland wird diese Praxis beispielsweise durch die *Brigitte-Diätclubs,* auch durch die OA und die Weight Watchers fortgesetzt.

Hilfe bei Eßproblemen

▶ Laden Sie Mitfaster ein: Tauschen Sie zunächst Ihre Fastenerfahrungen aus. Das weiterführende Gespräch ergibt sich von selbst, wenn Sie den Mut aufbringen, über Ihre persönlichen Probleme zu sprechen. Sie ermutigen die anderen, sich ebenfalls zu öffnen. Nicht ausweichen in die üblichen Belanglosigkeiten! Sie werden entdecken, daß nicht nur Sie Schwierigkeiten haben.

Sich gegenseitig helfen

Fasten – Zeit der Besinnung

Das Erlebnis eines Fastens kann tiefere Schichten des menschlichen Seins berühren, denn es ist gleichzeitig eine Zeit der Besinnung. Außer der Erfahrung des Körpers und des Verhaltens beim Essen, Trinken und Genießen werden auch Innenerfahrungen gemacht, die so vielfältig sein können, wie Menschen verschieden sind. Sie ahnen schon aus der ersten Begegnung mit dem Fasten, daß es ein Weg zur inneren Freiheit und Unabhängigkeit im Denken und Handeln sein kann. Die Tiefen der Bedeutung des Fastens und die Reichweite seiner Heilwirkungen können nur in einem langen oder wiederholten Fasten ausgelotet werden. Wenn Sie das Erlebnis der Fastenwoche zu einem längeren Fasten ermutigt hat, wäre der Sinn dieses Buches erfüllt.

Wege zur inneren Freiheit

Tips für die Nachfastenzeit

Vorbeugefasten

Jeder Mensch sollte das Fasten kennenlernen. Es lohnt sich zu wissen, daß man zeitweise ohne Nahrung leben und danach bescheidener als üblich essen kann.

Fasten für Gesunde Jedem Gesunden vom dreißigsten Lebensjahr an empfehle ich ein gelegentliches Fasten. Bewährt haben sich »Fastenwochen für Gesunde«. Unter kundiger Leitung finden sich Menschen an ihrem Wohnort oder im Urlaubsort zusammen, um gemeinsam zu fasten. Auf Seite 105 finden Sie Kontaktadressen, über die Sie zu »Ihrer« Fastenwoche finden können.

Vom vierzigsten Lebensjahr an könnte bei unserer modernen Lebensweise eine Generalüberholung nötig und ratsam sein. **Generalüberholung** Dazu gehört neben dem Konditionstraining der »Ölwechsel« durch ein längeres Fasten. Vorbeugen ist bekanntermaßen besser als Heilen. Da es auch billiger ist, finden sich die fortschrittlichsten unter den Krankenkassen dazu bereit, Frühheilverfahren (mindestens 3 Wochen) mitzufinanzieren. Sie beteiligen sich damit an einem heilsamen Lernprozeß des Versicherten, der sich später auch für die Kasse auszahlt.

■ Jeder Mensch mit erhöhtem Erkrankungsrisiko durch ernährungsbedingte Gesundheitsschäden und Stoffwechselbelastungen sollte fasten, bis die im Labor faßbaren Risikofaktoren beseitigt sind, zum Beispiel bei **Risikofaktoren abbauen**
● Neigung zu hohem Blutdruck (Hypertonie);
● zu hohem Blutfettgehalt (erhöhte Cholesterin- und Triglyceridwerte);
● erhöhtem Blutzucker (beginnendem Diabetes);
● zuviel Blutzellen und zu dickem Blut (Polyglobulie);
● erhöhter Harnsäure im Blut (in den Vorstadien der Gicht).

Kurz: Wer in Ordnung kommen möchte, sollte fasten. Auch ein Vorbeuge-Fasten gegen Krebs (zum Beispiel bei familiärer Belastung) oder gegen vorzeitiges Altern (Arteriosklerose) ist sinnvoll.

Jeder Übergewichtige sollte fasten, und zwar nicht nur zur Gewichtskorrektur und -kontrolle, sondern auch um zu lernen, wie er besser mit seiner Anlage und seinen Eßgewohnheiten fertig werden kann. **Eßverhaltenstraining**
Wie nachhaltig ein Mensch seine Ernährung, seine Eß- und Trinkgewohnheiten nach dem Fasten umstellen kann, zeigt die Grafik auf Seite 89:

Vorbeugefasten

Beispiel Im Laufe von 4 Jahren, in denen 4 Fastenkuren durchgeführt wurden, ist das Übergewicht von 40 Prozent zu Beginn der Fastenkuren zusammengeschmolzen auf nur 10 Prozent. Das bedeutet im vorliegenden Fall eine Gewichtsabnahme von nahezu 20 Kilogramm, Abbau von 5 Risikofaktoren, vor allem aber vielfältigen Gewinn, der sich mit keiner Waage messen läßt.

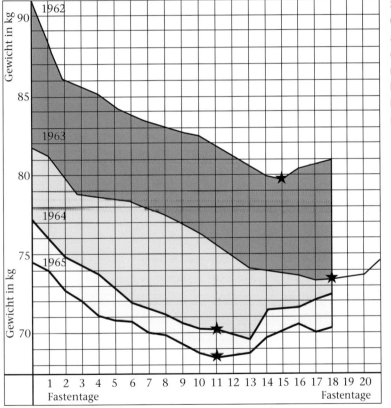

Stufenweise Gewichtsabnahme durch viermaliges Fasten und Ernährung nach Maß

Beispiel eines Mannes, 43 Jahre alt, 166 cm groß. Gewicht bei Beginn des Fastens 91 kg (40% Übergewicht), nach Beendigung des vierten Fastens 70 kg (10% Übergewicht).
* 1962 nach 15 Fastentagen 11 kg Gewichtsabnahme
* 1963 nach 18 Fastentagen 8,5 kg Gewichtsabnahme
* 1964 nach 11 Fastentagen 6,8 kg Gewichtsabnahme
* 1965 nach 11 Fastentagen 6,2 kg Gewichtsabnahme

Fasten als Therapie

Heilfasten, ein tiefwirkendes Heilverfahren, ist
vor allem angezeigt bei ernährungsabhängigen Stoffwechselerkrankungen und ihren oft schwer-
wiegenden Folgen.
Fastenkuren von mehreren Wochen Dauer werden
unter ärztlicher Betreuung in Fastenkliniken durchgeführt. Allen Fastenhäusern ist gemeinsam,
daß während der Fasten- und Nachfastenzeit eine
Änderung von Ernährungs- und Lebensweise vermittelt
wird – und das in einer fröhlichen Atmosphäre und
in landschaftlich schöner Umgebung.

Was ist Heilfasten?

Heilendes Fasten

Vorbeugen wird zur Therapie (zum Heilen), wenn es darum geht, die Vorboten lebensbedrohender Krankheit erfolgreich und schnell abzubauen. Herzinfarkt, Schlaganfall, Erkrankungen der Hirn- oder Beingefäße sind nur sinnvoll zu behandeln, indem man sie verhindert. Mit viel Geduld wäre dies zwar auch durch langfristige Ernährungsumstellung und regelmäßigen Sport zu erreichen. Wer aber ist wirklich bereit, seinen bequemen Lebensstil grundlegend zu ändern? Nichts vermag den Willen und die innere Kraft zu einer Änderung nachhaltiger zu fördern als ein Fasten. Allein das Heilfasten ist imstande, in kurzer Zeit sowohl die gefährlichen Risikofaktoren abzubauen als auch den gefährdeten Menschen so tief zu beeindrucken, daß Ernährungskorrektur und Genußmittelverzicht dauerhaft gelingen. Je größer die gesundheitliche Belastung, je fester die Abhängigkeit von Konsumgewohnheiten und je drohender die Krankheit, desto länger muß das Heilfasten dauern, aber auch die begleitende Ernährungs- und Verhaltensschulung. Dafür ist ein Aufenthalt von mindestens 4 Wochen in der Fastenklinik mit speziell ausgebildetem Personal unumgänglich.

■ Heilfasten ist kausale Behandlung. Denn seine Wirkung geht gleichzeitig an die Wurzel der Erkrankung.

Was bedeutet das? Ein Beispiel:

Heilerfolg innerhalb von vier Wochen

Ein 43jähriger Monteur leidet seit zehn Jahren unter Diabetes; er ist zuckerkrank. Bedingt dadurch kam es zu tiefen Geschwüren in beiden Fußsohlen; seit einem Jahr ist er deshalb arbeitsunfähig. Trotz bester Hautbehandlung der Geschwüre und guter medikamentöser Einstellung der Zuckerwerte besserten sich die Geschwüre nicht. Durch ein 21tägiges Heilfasten, Umstellung der Ernährung auf eine vitalstoffreiche Vollwertkost und Neueinstellung des Diabetes gelingt die Heilung der Fußsohlengeschwüre innerhalb von vier Wochen. Der Mann ist voll arbeitsfähig.
Nach zwei Jahren kommt er erneut in die Klinik; die Heilung hat nur ein Jahr gehalten! Grund: Gewichtsanstieg; Lebensstil und Diabetes sind »verwildert«. Erneutes Auftreten von Fußsohlengeschwüren, in Universitätskliniken sorgfältige Behandlung mit Diät, Insulin und modernen Medikamenten; ein Jahr Arbeitsunfähigkeit – Krankheitskosten 30 000 DM.

Ein zweites Heilfasten, Dauer 21 Tage, mit anschließendem Kostaufbau bringt eine Gewichtsabnahme von 14 Kilogramm und eine Senkung der hohen Blutfettwerte, den Abbau der Bluteindickung (Polyglobulie), die Normalisierung der Blutzuckerwerte trotz Verzichts auf Insulin und andere Medikamente. Die Geschwüre heilen ab. Mit der neuen Ernährung und wenig Diabetesmitteln geht es dem Mann so gut, daß er einen Montageauftrag im Ausland annimmt.

Rückschläge *Gasthauskost und Langeweile am Abend – Gift für ihn – führen zu neuerlichem Gewichtsanstieg, zur Entgleisung des Diabetes und damit des gesamten Stoffwechsels, zu Ablagerungen in den kleinsten Blutgefäßen (Kapillaren), vor allem an den Füßen; das dicke Blut fließt zäh; die Durchblutung ist gestört, Geschwüre, die nicht heilen, sind die Folge. Neun Monate Arbeitslosigkeit – weitere Krankheitskosten 38 000 DM. Das dritte Heilfasten, Dauer 25 Tage, mit 15 Tagen Ernährungstraining bringt Heilung wie vorher. Wodurch? Korrektur der Stoffwechselentgleisung, Verflüssigung des Blutes, Abbau der krankhaften Veränderung der Kapillaren – welch anderes Heilverfahren könnte das erreichen! (6 Wochen für rund 6 000 DM).*

Intensive Gruppen- und Einzelgespräche, Diabetikerberatung und Lehrküche, gestufte Bewegungstherapie – mit diesen Maßnahmen wird versucht, das Verhalten des Patienten dauerhaft zu verändern.

■ *Heilfasten* geht an die Wurzel der Erkrankung und an die Wurzel persönlichen Verhaltens. Langes Fasten von 18, 24, 32 Tagen und länger *ist ein tiefer Eingriff in den Stoffwechsel des Kranken.* Diese »Operation ohne Messer« hat einem chirurgischen Eingriff gegenüber erhebliche Vorteile: Nichts muß verletzt werden, gleichzeitig wird jede Zelle in jedem Organ erreicht, jedes kleinste Blutgefäß, jeder »Winkel« im Bindegewebe, in dem Krankheitsstoffe abgelagert sein können.

»Operation ohne Messer«

Ein Eingriff dieser Art betrifft den vollbewußten Menschen, dessen Heilung von wichtigen Einsichten, sogar von wachsendem Wohlbefinden begleitet wird.

Bei allergischen und rheumatischen Erkrankungen kann durch langen Nahrungsverzicht und Förderung aller Ausscheidungen eine **Umstimmung** Umstimmung der Reaktionsweise des Körpers (Desensibilisierung), eine Veränderung der Immunlage eingeleitet und damit ein Heilprozeß in Gang gebracht werden.

Hier gibt es erstaunliche Möglichkeiten; immer aber mache man sich klar: Dies alles kann sich nur in einem noch reaktionsfähigen Körper ereignen, nicht mehr in einem durch die fortgeschrittene chronische Erkrankung verhärteten Organismus.

■ Heilfasten ist ein jahrtausendealtes Heilmittel. In der Hand des erfahrenen Fastenarztes in einer Fastenklinik ist es ein ungefährliches, dennoch tiefwirkendes Heilverfahren. Es gehorcht natürlichen, in der Natur des Menschen begründeten Gesetzen. Ihr wissenschaftlicher Nachweis ist längst erbracht.

Wer gehört in eine Fastenklinik?

Heil-anzeigen

Lassen Sie mich hier nur die Krankheitsnamen (Diagnosen) nennen. Bei vielen Kranken liegen mehrere Krankheiten nebeneinander oder kombiniert vor.

Heilfasten ist besonders angezeigt bei ernährungsabhängigen Stoffwechselkrankheiten, bei chronischen Krankheiten und bei Erkrankungen des Bewegungsapparates, die eng mit Stoffwechselentgleisungen verbunden sind.

Fasten bei Stoffwechselkrankheiten

- Gefährliche Fettsucht – mehr als 30 Prozent Übergewicht
- Diabetes (Zuckerkrankheit)
- Gicht
- Polyglobulie (zu viel Blutzellen)
- Fettleber
- chronische Hepatitis (Leberzellschädigung)
- arterielle Durchblutungsstörungen beispielsweise der Herzkranzgefäße, der Arm-, Bein- oder Kopfgefäße
- Bluthochdruck
- Herzinfarktgefährdung

Fasten bei chronischen Erkrankungen

- Erkrankungen des rheumatischen Formenkreises, wobei Entschlackung und eine Umstimmung der Reaktionslage notwendig sind, zum Beispiel bei Weichteilrheumatismus und Gelenkrheumatismus, Bandscheiben- und Gelenkschäden (Spondylarthrosen, Osteochondrosen, Arthrosen)
- chronische Hauterkrankungen (Ekzeme, Schuppenflechte)
- venöse Durchblutungsstörungen mit offenen Beinen
- allergische Krankheiten der Haut und der Schleimhäute.

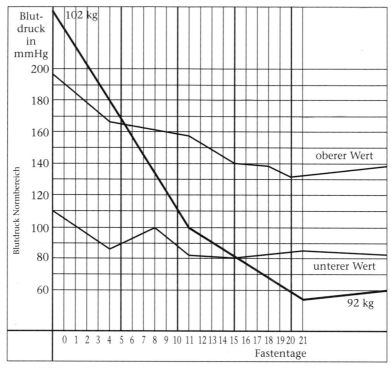

Normalisierung von Hochdruck und Reduktion von Übergewicht nach drei-
wöchigem Fasten. Die Zeichnung enthält die Durchschnittswerte von 15 über-
gewichtigen Fastern. (Nach Dr. H. Fahrner)

Scheinbar unheilbare oder unbeeinflußbare Krankheit konnte
durch Fasten und eine naturgemäße Zusatzbehandlung zur Hei-
lung oder zum Stillstand geführt werden – so zum Beispiel
● Migräne, chronischer Kopfschmerz
● Glaukom (grüner Star) im Anfangsstadium
● Porphyrie, Polyarthritis und Bechterew, Morbus Reiter, Morbus
Crohn im Frühstadium.

**Bei psycho-
somatischen
Störungen** Nicht zuletzt vermag langes Fasten Eßverhaltensstörungen und
süchtige Bindungen zu unterbrechen und kann damit neben der
Psychotherapie eine der entscheidenden Hilfen sein bei
● Freßsucht, Zuckersucht, Bulimie
● Suchtgefährdung durch Alkohol, Nikotin, Tabletten.

Wer darf nicht fasten?

**Gegen-
anzeigen**

● Menschen ohne Reserven: Schlecht ernährte, körperlich und nervlich erschöpfte Menschen (nach langer Krankheit oder schwerer Operation). Kranke, bei denen ein Gewichtsabbau eingesetzt hat – zum Beispiel bei Tuberkulose und Krebs.

● Geisteskranke, weil sie nicht selbstverantwortlich handeln können. Unter fachärztlicher Leitung wurde allerdings auch bei Schizophrenien und Depressionen Gutes beobachtet.

● Seelisch schwer Belastete, weil sie die innere Ruhe und Sicherheit nicht haben. Bei Neurosen ist psychotherapeutische Begleitbehandlung erforderlich.

● Nervlich und körperlich Überforderte sollten erst acht Tage Urlaub machen, bevor sie ein Langzeit-Fasten beginnen.

● Patienten, die Marcumar oder ähnliche Blutverdünnungsmittel nehmen.

»Stationäre Fastenbehandlung«

Einfacher sagt man: Fastenkur. Das Wort »Kur« ist allgemein gebräuchlich und bezeichnet eine planvolle Heilbehandlung mit festgesetzter Dauer von drei, vier oder mehr Wochen unter ärztlicher Betreuung. **»Fastenkur«**

Sanatorium Der Faster lebt zusammen mit anderen Fastern in einem Sanatorium oder einer Klinik, umgeben von einem auf das Fasten abgestimmten Milieu. Er unterwirft sich freiwillig festen Hausregeln, die zum Beispiel Alkohol und Nikotin verbieten, eine ausreichende Mittags- und Nachtruhe garantieren, Regeln, die ein kurgemäßes Verhalten verlangen. Diese notwendige Strenge wird reichlich aufgewogen durch ein betont angenehmes Wohnen mit frohen Farben und schönen Formen. Ein Fastenhaus sollte nichts von Krankenhausatmosphäre haben.

Aus langer Erfahrung in deutschen Fastensanatorien hat sich ein bestimmter Fastenstil herauskristallisiert. Es ist eine sinnvolle Kombination von Fasten mit anschließender Nachfasten-Diät, darauf abgestimmter Bewegung wie Wandern, Schwimmen, Spielen, Gymnastik; Begegnung mit der natürlichen Umwelt: Licht, Luft, Wasser – mitten in einer landschaftlich schönen Umgebung; ergänzt **Heilverfahren**

Fastenklini-
ken haben ein
ganzheitliches
Konzept.
So gehören zu
einer statio-
nären Fasten-
behandlung
unter ande-
rem auch
Formen der
Bewegungs-
therapie.

durch Massage, Bäder, Sauna, Kneipp-Anwendungen, Atem- und
Bewegungsschulung; vertieft durch vielerlei Formen der Gesund-
heitsbildung in Vortrag, Arbeitsgruppen und Lehrküche; umbaut
von einem kulturellen Programm: Musik, Gespräch, Diskussion.

Von hier aus ist vielleicht am besten zu verstehen, warum die

Nulldiät   Durchführung einer Null-Diät nicht das gleiche ist wie eine Fastenkur nach Dr. Buchinger, obwohl beides Formen der therapeuti-
schen Nahrungsenthaltung sind.

Über die oben beschriebene Grundversorgung des Vorbeugefasters
hinaus braucht der *Kranke* eine medizinische Betreuung, die der in
einem Krankenhaus gleichkommt.

**Medizinische
Betreuung
in der Fasten-
klinik**

Entscheidend für das Gelingen eines langen Fastens in der Klinik
ist die gute psychologische Betreuung durch Menschen, die
Fasten an sich selbst erfahren haben: die Ärzte, die Schwestern,
die Behandler, das umsorgende Personal. Klinisch-stationäres Heilfasten ist eine wissenschaftlich fundierte Behandlungsmethode
in der Hand fastenerfahrener Ärzte. Die Fastenklinik bietet Siche-
rung durch moderne Möglichkeiten der Diagnostik und der Ver-
laufsbeobachtung durch Labor- und Kreislauffunktionstests und
durch einen Tag-und-Nacht-Bereitschaftsdienst der Ärzte und
Schwestern.

Natürlich gehören auch der Behandlungsplan, die Krankenge-
schichte und der Brief an Hausarzt und Krankenkasse dazu.
Sie finden auf Seite 104 eine Liste von Kliniken, die Fastenkuren
oder ein stationäres Heilfasten durchführen.

Finanzierungsmöglichkeiten

● Der Patient ist »Selbstzahler«. Die meisten Fastenkliniken sind
Privatkliniken; Teilerstattung durch Krankenversicherung.

Kranken- ● Zuschuß durch die Krankenkasse für eine Sanatoriumskur.
kassen ● Vollerstattung durch die Krankenkasse wie für einen Kranken-
zahlen dazu hausaufenthalt.

● Teilerstattung durch die Beihilfe.

● In Form eines Heilverfahrens der Rentenversicherer BfA (Bundes-
versicherungsanstalt für Angestellte) und LVA (Landesversiche-
rungsanstalt) – nur in entsprechenden Vertragshäusern.

Je ernsthafter Ihre Erkrankung ist und je erfolgreicher sie durch ein
klinisch-stationäres Heilfasten behandelt werden kann, desto eher
werden die Krankenversicherer bereit sein, einen entsprechend hohen finanziellen Einsatz zu leisten. Eine Krankenhausbehandlung
ernährungsabhängiger Stoffwechselerkrankungen ist erfahrungsgemäß wesentlich teurer als ein klinisch-stationäres Heilfasten in
einer Fachklinik, die überdies meist die besseren Erfolge aufzuwei-
sen hat. Viele Krankenkassen sind dankenswerterweise heute
bereit, auch stationäre Vorbeugekuren mitzufinanzieren, wenn
dadurch drohende Krankheit abgewendet werden kann.

Wie muß ein Heilverfahren beantragt werden?

Sprechen Sie mit Ihrem Hausarzt über Ihren Wunsch nach einer **Stellen Sie**
Heilfastenbehandlung; er wird Ihren Antrag auf eine klinisch- **einen Antrag**
stationäre Heilbehandlung bei Ihrer Kasse befürworten und medizi-
nisch begründen. Nehmen Sie Kontakt auf mit einer Fastenklinik,
erkundigen Sie sich dort nach Beihilfen, die Sie von den Kassen
erwarten können.
Für ein Heilverfahren über die Rentenversicherungsanstalten BfA
oder LVA ist mitentscheidend das Untersuchungsergebnis eines
Arztes des Medizinischen Dienstes.

Zum Nachschlagen

Ärzte, die bereit sind, Fastende zu beraten

Bedenken Sie bitte, daß die Beantwortung von Telefonanfragen nur in knapper Form möglich und ärztliche Beratung per Telefon, ohne daß der Faster dem Arzt bekannt ist, nicht möglich sind. Legen Sie schriftlichen Anfragen bitte einen mit Ihrer Anschrift versehenen und frankierten Briefumschlag bei.

Dr. Gudrun Spitzner
Egon-Erwin-Kisch-Weg 10
04299 Leipzig

Dr. Angelika Zimmer
Am Ring 11
08606 Tirpersdorf

Dr. Adelheid Klauck-
Stolzenburg
Egmontstraße 4
10317 Berlin-Lichtenberg

Dr. Elke Achilles
Pestalozzistraße 4
10625 Berlin

Dr. Irene Freimuth
Bundesallee 55
10715 Berlin

Dr. Wilhelm Breitenbürger
Dr. Jochen Starke
Schlesische Straße 32
10997 Berlin

Dr. Gisela Schmitz da Silva
Gesellschaftsstraße 17
13409 Berlin

Dres. M. und R. Wilhelm
Schmarjestraße 18
14169 Berlin

Dr. Stefan Föller
Koenigsallee 35
14193 Berlin

Dr. Sigrid Das
Binger Straße 64
14197 Berlin

Dr. Uthe Ernst-Muth
Rosenstraße 3
20095 Hamburg

Dr. Dietrich Wachsmuth
Rothenbaumchaussee 26
20148 Hamburg

Dr. Eckhardt Sies
Hudtwalckerstraße 24
22299 Hamburg

Dr. Werner Kremser
Rehblöcken 22
22359 Hamburg

Dr. C. U. Schünke
Wulfsdorfer Weg 116
22359 Hamburg

Dr. Christian Strunge
Große Brunnenstraße 19
22763 Hamburg

Dr. Maria Straub
Lübecker Straße 16
23611 Bad Schwartau

Dr. Renate Schleker
Markt 9a
23701 Eutin

Dr. Peter A. Fricke
Knooper Weg 48
24103 Kiel

Dr. Sigrid M. Meyer
Segeberger Landstr. 83
24145 Kiel

Dr. Walter Schupfner
Lehmweg 51a
25492 Heist

Dr. Ingrid Olivet
Jahnstraße 32
25746 Heide

Dr. Ralf Sens
Ludwig-Nissen-Straße 43
25813 Husum

Dr. Irene Budelski
Andreas-Dirks-Straße 7
25980 Westerland

Dr. Hugo Ohntrup
Zum Kreuzkamp 14
27404 Heeslingen

Dr. Beate Staiger
Bahnhofstraße 37
28195 Bremen

Dr. Ulrich Giesler
Huchtinger Heerstraße 30
28259 Bremen

Dr. Haas
Edisonstraße
28357 Bremen

Dr. Harry Wichert
Magdeburger Straße 18
29345 Unterlüß

Dr. Rita Klose
Uelzener Straße 11
29581 Gerdau

Dr. H. Werner Burkhardt
Annette Kehr-Burkhardt
Am Mühlenberg 1
30900 Bissendorf / Hannover

Dr. Thomas Kaluza
Lilienstraße 14
31020 Salzhemmendorf-
Osterwald

Dr. Erhard Klenner
Hindenburgplatz 3
31134 Hildesheim

Dr. Axel Preiskorn
Frankenstraße 7
31547 Rehburg-Loccum

Dr. Klaus-Peter Reinicke
Wilhelmstraße 19
31582 Nienburg

Dr. Peter Opala
Thiewall 6
31785 Hameln

Dr. Wolfgang Pielot
Thiewall 7
31785 Hameln

Dr. H. Ziegenhorn
Kastanienwall 9
31785 Hameln

Dr. Eckehard Meyer
An der Kirche 1
31832 Springe

Dr. Fritz Heinicke
Berliner Straße 41
32361 Preußisch-Oldendorf

Dr. Wilhelm Stedtfeld
Elsmannstraße 4
33332 Gütersloh

Dr. Margot Olischläger
Tannenkamp 23
34346 Hann.-Münden

Dr. Wilhelm Hintzen
Rhenaniastraße 30
41516 Grevenbroich

Dr. Martin Hermann
Zur Dörner Brücke 19
42283 Wuppertal

Dr. D. Schröer-Dahlberg
Eickeler Markt 7
44651 Herne / Eickel

Dr. Matthias Krisor
Marienstraße 2
44651 Herne

Dr. Bärbel Schmücker
Mergelstraße 51
45478 Mülheim a.d. Ruhr

Dr. Michael Weyer
Steigerstraße 8
46537 Dinslaken

Dr. Irmgard Griese-Bassier
Kastell 1
47441 Moers

Dr. Klaus Kohl
Herrenstraße 77
47665 Sonsbeck

Dr. R.-U. Hoffmann
Osnabrücker Straße 254
48429 Rheine

Dr. G. Schnürmann
Bahnhofstraße 10
48565 Steinfurt

Dres. M. u. H. Kl. Rüsch-
kamp
Schürkamp 11
48607 Ochtrup-Langenhorst

Dr. Dr. D. Wachsmuth
Neue Straße 6
49143 Bissendorf

Dr. Wolfgang Baumgärtner
Dr. Ulrich Franke
Haferstraße 42
49324 Melle

Dr. Christiane Wagner
Seb.-Kneipp-Straße 23
50226 Frechen

Dr. Eva Krengel-Stein
Brieger Weg 1
53119 Bonn

Dr. Ute Venohr
Lindenstraße 2
26169 Gehlenburg

Dr. Christa Jung
Bleichstraße 1
55232 Alzey

Dr. Thomas Winter
Jahnstraße 45
55257 Budenheim

Dr. J. Weber
Bahnhofstraße 37
55457 Gensingen

Dr. J.-Ch. Kingreen
Elberfelder Straße 55
58095 Hagen

Prof. Dr. R.W. Erpelt
Am krusen Bäumchen 12
58239 Schwerte

Dr. Johanna Krichbaum
Knapper Straße 48
58507 Lüdenscheid

Dr. Hubertus Steinkuhl
Lupinenweg 2
58708 Menden

Dr. David Tao
Hauptstraße 18
58739 Wickede / Ruhr

Dr. Hartmut Bansi
Hertinger Straße 6
59423 Unna

Dr. Sabine Heinken
Altebornstraße 1
60389 Frankfurt

Dr. Viktor Popp
Am Stockborn 14
60439 Frankfurt

Dr. Dieter Spranger
Georg-Pingler-Straße 7
61462 Königsstein / Taunus

Dr. Ingrid Darmstädter
Frankfurter Landstr. 95
64291 Darmstadt

Dr. Benno Wölfel
Odenwaldstraße 30
64665 Alsbach-Hähnlein

Dr. Hans Raue
Blücherstraße 7
65195 Wiesbaden

Dr. Horst Hammel
Schöne Aussicht 1
65396 Walluf

Dr. J. u. Ch. Lorenz
Flachstr. 13
65197 Wiesbaden

Dr. Grit Berner-Rohn
Gartenfeldstraße 1
65307 Bad Schwalbach

Dr. D. M. Weins
Am Bahnhof 4
66111 Saarbrücken

Dr. Helmut Braun
Bliesgaustraße
66440 Blieskastel

Dr. F. X. u. P. Erlenwein
Mainzer Straße 32
67117 Limburgerhof

Dr. Günter Michael
Glockengasse 2
67435 Neustadt

Dr. Helmut Bergdolt
Dr. Gudrun Mono
Schloßstraße 14
69168 Wiesloch

Dr. Adelheid Böhner-Müller
Stedinger Straße 10
70499 Stuttgart

Dr. Hermann R. Sohnius
Dr. Ursula Sohnius
Auf der Heide 9
70565 Stuttgart

Dr. Dieter Kintzinger
Kirchheimer Straße 67
70619 Stuttgart

Dr. Renate Necker
Kirchheimer Straße 42
70619 Stuttgart

Dr. W. Scheel
Kleinbottwarer Straße 17
71711 Steinheim

Dr. Andreas Klein
Berliner Ring 39
72076 Tübingen

Dr. Gerd Brühl
Dorfstraße 41
72138 Kirchentellinsfurt

Dr. Dietrich Schmoll
72296 Schopfloch/
Schwarzwald

Dr. Horst Kleber
Hechinger Straße 38
72461 Albstadt

Dr. Krystyna Nowara
Karlstraße 35
72488 Sigmaringen

Dr. Regine Siegel-Trumpp
Baumgartenweg 13
72993 Pfullingen

Dr. Ulrike Banis-Rose
Esslinger Straße 64
73207 Plochingen

Dr. Matthias Komp
Marktstraße 7
73230 Kirchheim / Teck

Dr. Ute Grauf-Ott
Bernhardstraße 24
74182 Obersulm

Dr. J. F. Rösch
Redtenbacherstraße 20
75177 Pforzheim

Dr. Helmut Sauer
Rheinstraße 7
76337 Waldbronn-
Reichenbach

Dr. Georg Wittich
In der Krautbündt 1
77656 Offenburg

Dr. Hubert Schnurr
Schmidtenstraße 10
77963 Schwanau

Dr. Frank O. Spiegel
Klosterring 11
78050 Villingen

Dr. Barbara Büttner
Fischerstraße 36
78464 Konstanz

Dr. Herbert Langer
Von-Stauffenberg-Str. 4
78554 Aldingen

Dr. Dagmar Müller-
Mobashery
Brombergstraße 33
79102 Freiburg

Dr. Henninges
Krozinger Straße 11
79114 Freiburg

Dr. Christian Hentschel
Markgrafenstraße 8
79312 Emmendingen

Dres. A. u. E. Schulte-Kemna
Karl-Fürstenberg-Str. 6–8
79618 Rheinfelden

Dr. Gertrud Arnsberg
Untere Flüh 1
79713 Bad Säckingen

Dr. Manfred Henn
Hofstatt 9
79771 Klettgau-Erzingen

Dr. Heinz Breidenbach
Hippmannstraße 6
80639 München

Dr. Wolfgang Dittmar
Destouchesstraße 46
80803 München

Dr. Gerd Mayer
Josef-Frankl-Straße 47c
80995 München

Dres. K.-H. u. U. Gunzel-
mann
Goldbergstraße 6
81479 München

Dr. Schmid
Heimgartenstraße 29
82441 Ohlstadt

Dr. Dieter Bauer
Graf-Lamberg-Weg 6
83026 Rosenheim-Aising

Dr. Richard Schader
Wendelsteinstraße 6
83209 Prien

Dr. Lucyna Schroeder
Salzburger Straße 5
83435 Bad Reichenhall

Dr. Anneliese Heidegger
Kreiskrankenhaus
83471 Berchtesgaden

Dr. Eberhard Laubender
Von-Velsen-Straße 8
83671 Benediktbeuern-Ried

Dr. Werner Düsterwald
Adrian-Stoop-Straße 42
83707 Bad Wiessee

Dr. Walter Strauch
Moltkestraße 6
84453 Mühldorf

Dr. Hartmut Dorstewitz
Wasserburger Straße 37
85614 Kirchseeon

Dr. Michael Schreiber
Hauptstraße 45 b
86482 Aystetten

Dr. Anton Wohlfart
Am Kaltenbrunnen 10
86676 Ehekirchen

Dr. Bärbel Lang
Zinggstraße 3
87700 Memmingen

Dr. Günther Weishaupt
Reinpoldstraße 10
87719 Mindelheim

Dr. Karlheinz Freigang
Kuppelnaustraße 5
88212 Ravensburg

Dr. Peter Groh
Schussenstraße 3
88212 Ravensburg

Dr. Wolfgang Weber
Hindenburgstraße 12
88214 Ravensburg

Dr. Berhard Duhm
Aulendorfer Str. 6
88371 Ebersbach-Musbach

Dr. Bernd Hillebrandt
Hauptstraße 10 a
88696 Owingen

Dr. Heinz-U. Haug
Franz-Lehar-Straße 6/2
89231 Neu-Ulm

Dr. Michael Schorr
Ortsstraße 40
89250 Senden

Dr. Josef Eiletz
St. Georgsplatz 8
92286 Rieden

Dr. Christian Rechl
Kettelerstraße 3
92637 Weiden / Oberpfalz

Dr. Reiner Sollfrank
An der Eiche 1
92637 Weiden

Dr. L. Fodor
Schulgasse 7a
94078 Freyung

Dr. Armin Primbs
Stadtgraben 48
94315 Straubing

Dr. Bernhard Kampik
Ingrid Wancura-Kampik
Bürgerreutherstraße 39
95444 Bayreuth

Dr. Erich Dumrauf
Bamberger Straße 78
96149 Breitengüßbach

Dr. Marianne Brandt
Dr.-Thomas-Dehler-Str. 3
96215 Lichtenfels

Österreich

Dr. Elfriede Nitsche
Prinz-Eugen-Straße 6
A – 1200 Wien

Dr. Erhard Weltin
Brigittenauer Lände
148/13/6
A – 1200 Wien

Dr. W. Kurz
A – 6344 Walchsee 79/
Kufstein

Schweiz

Dr. Ernst Bauer
Kurhaus Prasura
Höhwaldweg
CH – 7050 Arosa

Häuser, in denen Heilfasten angeboten wird

Prießnitz-Klinik
Krankenhaus Mahlow
Dr. Jürgen Rohde
Arnold-Böcklin-Straße 7
15831 Mahlow

Krankenhaus Ochsenzoll
Dr. Helmut Brinkmann
Langenhorner Chaussee 560
22419 Hamburg

Schloß Warnsdorf
Klinik Dr. Scheele GmbH
Postfach 150205
23524 Lübeck-Travemünde

Klinik Dr. Otto Buchinger
Dr. Andreas Buchinger
Forstweg 39
31810 Bad Pyrmont

Klinik am Warteberg
Dr. K. Sawatzki
37213 Witzenhausen

Kurhaus Dhonau
Dr. Axel Bolland
55566 Sobernheim

Felke-Kurhaus Menschel
Dr. Thea Menschel
55566 Sobernheim /
Meddersheim

Waerland Sanatorium
Haus Friedborn GmbH
Postfach 1443
79705 Bad Säckingen

Klinik für Naturheilweisen
Dr. Ostermayer
Sanatoriumsplatz 2
81545 München

Sanatorium Dr. Trommsdorff
Dr. Lutz Trommsdorff
Hermann-Barth-Weg 6
82481 Mittenwald

Privatklinik für Naturheil-
verfahren Tannerhof
Dres. A. u. M. v. Mengers-
hausen
Tannerhofstraße 32
83735 Bayrischzell / Obb.

Waldhausklinik
86391 Stadtbergen

Privatklinik Dr. Spiske
Dr. Johann Hann
Bgm.-Ledermann-Str. 7 – 9
86825 Bad Wörishofen

Reha-Klinik Heiligenberg
Dr. Peter Kienzle
Fürstenbergstraße 3 – 5
88633 Heiligenberg

Klinik Buchinger
Dr. Christian H. Kuhn
88641 Überlingen

Kurpark-Klinik
Dr. G. Hölz
Postfach 101564
88645 Überlingen

Klinik Dr. v. Weckbecker
Rupprechtstraße 20
97765 Bad Brückenau

Österreich

Sanatorium
Dr. Felbermayer
A – 6793 Gaschurn /
Montafon

Schweiz

Kurhaus Prasura
Dr. Ernst Bauer
Hähwaldweg
CH – 7050 Arosa

Schloß Steinegg
Kurhotel
CH – 8536 Hüttwilen /
Thurgau

Italien

Kurhaus
Dr. Markus v. Guggenberg
Unterdrittelgasse 17
I – 3904 Brixen / Südtirol

Kontaktadressen: Fastenwochen für Gesunde

Bei den angegebenen Adressen erfahren Sie, wo man mit anderen unter kundiger Führung fasten kann.

W: am Wohnort, im eigenen Zuhause,
K: in Kursform, woanders; Prospekt anfordern.
dfa = ausgebildete Fastenleiter (dfa)

K
Eva Holzberger (dfa)
Bienertstraße 48
01187 Dresden

K/W
Dr. Ingrid Olivet
Jahnstraße 32
25746 Heide

K/W
Freies Bildungshaus Bosenholz e.V.
Viktoria u. Helmut Zorn (dfa)
Bosenholz 11
33154 Salzkotten

K
Dr. jur. Dietrich Geißler
Bismarckstraße 10
37581 Bad Gandersheim

W
Ev. Familienbildungsstätte
Wolfgang Milinski
Postfach 101205
46550 Voerde

K/W
Projekt Gesundheit
Christoph Hoenig
Achtermannstraße 24–26
48143 Münster

W
Luise Brüggemann
Gablonzer Weg 44
48431 Rheine

W
Familienbildungsstätte
Werner Großmann
Schulstraße 3
48565 Steinfurt

W
Schmiede – Seminarhaus
Günter W. Remmert
Römerstraße 5
54298 Welschbillig

W
Frauenarbeit in der
Ev. Kirche der Pfalz
Karl-Helfferich-Straße 16
67433 Neustadt/Weinstr.

K
Fasten-Wanderungen
Christoph Michl
Im Hagelgrund 2
67659 Kaiserslautern

K/W
Kath. Bildungswerk Stuttgart e.V.
Bolzstraße 6
70173 Stuttgart

K/W
Dr. Hilmar Burggrabe (dfa)
Fastenleiter-Ausbildung
Moschenäckerweg 11
71134 Aidlingen

K
Kurhotel Lauterbad
Frau J. Heinzelmann-Schillinger (dfa)
Amselweg 5
72250 Freudenstadt-Lauterbad

W
Gudrun Keller
Tobelweg 15
73101 Aichelberg

K
Susi Uebele
Mozartstraße 24/1
73207 Plochingen

K / W
Samariter-Werk e.V.
Kath. Fastenzentrum
Samariterweg 7
78269 Volkertshausen

K
Lindenhof
Margarete Bartels
78532 Tuttlingen-
Möhringen

K / W
Cornelia Heinemann (dfa)
Wilhelmstraße 8
78549 Spaichingen

K / W
Ingeborg Schneider (dfa)
Griesbachstraße 27
87727 Babenhausen

K
Renate Klein
Hirschbergweg 23
88175 Scheidegg

K
Deutsche Ferienakademie
(dfa)
Dr. Hellmut Lützner
Mühlenweg 22
88633 Heiligenberg-Steigen

K / W
Klaus Bühler
St.-Ulrich-Straße 7
88662 Überlingen

W
Walburgis u. Gerhard Jarzyk
(dfa)
Albert-Schweitzer-Str. 3
88677 Markdorf

K
Evang. Einkehrhaus
Ehepaar Fahr
Dorfstraße 32
98553 Bischofrod

Österreich

K/W
M. Taubert-Witz, Chr. Witz
Hasnerstraße 75/15
A-1160 Wien

K
UGB-Österreich
Renate Hechenberger,
Joseph Knappich
Piesendorf Nr. 446
A-5721 Piesendorf

Schweiz

K
Sporthotel Stoos
CH – 6433 Stoos / Schwyz

K
Sonnseitig leben
Seefeldstraße 102
CH – 8008 Zürich

K
UGB-Schweiz
Edith Schwegler
Ermisrietstraße 112
CH-8626 Ottikon

**Jahresübersicht – Fasten-
woche für Gesunde**
anfordern bei:
Cornelia Heinemann (dfa)
Wilhelmstraße 8
78549 Spaichingen

**Ausbildung Fastenleiter/in
Deutsche Fastenakademie**
Information und Anmel-
dung:
Renate Krassnig
Am Josenberg 13
78355 Hohenfels

Bei allen Anfragen bitte
frankierten Rückumschlag
beilegen.

Bücher, die weiterhelfen

Fasten / Heilfasten

Buchinger, Dr. O. sen.,
Das Heilfasten;
Hippokrates Verlag, Stuttgart

Fahrner, Dr. H.,
Fasten als Therapie;
Hippokrates Verlag, Stuttgart

Lützner, Dr. H., Million, H.,
Hopfenzitz, P.,
*Der große GU Ratgeber
Fasten;* Gräfe und Unzer
Verlag, München

Lützner, Dr. H., *Aktive
Diätetik,* Hippokrates Verlag,
Stuttgart

Wilhelmi-Buchinger, M.,
Fasten ist nicht Hungern;
Trias Verlag, Stuttgart

Richtige Ernährung

Elmadfa, Prof. Dr. I., Aign, W.,
Muskat, Prof. Dr. E., Fritzsche,
Dipl. oec. troph. Dr., Cremer,
Prof. Dr. med. H.D.,
*Die große GU Nährwert-
tabelle; Die große GU Vitamin-
und Mineralstoff-Tabelle;*
beide Titel: Gräfe und Unzer
Verlag, München

Lützner, Dr. H., Million, H.,
Richtig essen nach dem Fasten;
Gräfe und Unzer Verlag,
München

Kompasse Ernährung
*GU Kompaß Nährwerte;
GU Kompaß Cholesterin;
GU Kompaß Mineralstoffe;
GU Kompaß Vitamine;
Klevers Kalorien-Joule-Kompaß;*
alle Titel: Gräfe und Unzer
Verlag, München

Vollwerternährung

Danner, Helma,
Biologisch Kochen und Backen;
Econ Verlag, München

von Eichborn, Benita,
Gemüse aus der Vollwertküche;
Gräfe und Unzer Verlag,
München

Früchtel, Ingrid, *Vollwertkost
auch für Einsteiger; Vollwert-
Küche; Das Ingrid Früchtel
Vollkorn-Kochbuch;*
Gräfe und Unzer Verlag,
München

Koerber, Männle, Leitzmann,
Vollwert-Ernährung;
Haug Verlag, Heidelberg

Kollath, Prof. W.,
Die Ordnung unserer Nahrung;
Haug Verlag, Heidelberg

Kurz, Marey,
*Vollwertküche – schnell und
leicht; Vollwertkost, die Kin-
dern schmeckt;*
Gräfe und Unzer Verlag,
München

Leitzmann, Prof. C.,
Million, H.,
Vollwertküche für Genießer;
Falken Verlag

Rias-Bucher, Barbara,
Brigitte Vollwert-Diät;
Goldmann Verlag, München

Rias-Bucher, Barbara,
*Vollwert-Backvergnügen wie
noch nie; Vollwert-Koch-
vergnügen wie noch nie;*
Gräfe und Unzer Verlag,
München

Righi-Spanfellner, Gina,
Schlank mit Vollwertkost;
Gräfe und Unzer Verlag,
München

Heilnahrung

Bircher-Benner-Handbücher,
*Schlank – schön – gesund;
Handbuch für Frischsäfte,
Rohkost und Früchtespeisen;*
beide: Bircher-Benner-
Verlag, Bad Homburg

Bruker, Dr. med. Max O.,
*Unsere Nahrung – Unser
Schicksal;*
emu Verlag, Lahnstein

Lützner, Dr. H., Million, H.,
*Rheuma und Gicht – Selbst-
behandlung durch Ernährung;*
Jungjohann Verlag, Neckar-
sulm

Madani, M., Lützner, Dr. H.,
*Meine erfolgreiche Rheuma-
Diät;*
Gräfe und Unzer Verlag,
München

Rauch, Dr. E.,
*Die Darmreinigung. Nach
Dr. med. F. X. Mayr;*
Haug Verlag, Heidelberg

Schnitzer, Dr. J. G. und M.,
*Schnitzer-Intensivkost –
Schnitzer-Normalkost;*
Schnitzer-Verlag, St. Georgen

**Küchen- und Wildkräuter,
Heilpflanzen**

Pahlow, Mannfried,
*GU Kompaß Kräuter und Wild-
früchte;*
GU Kompaß Heilpflanzen;
*Der große GU Ratgeber Heil-
pflanzen;*
*Das große Buch der Heil-
pflanzen;*

Recht, Christine,
GU Kompaß Küchenkräuter;
*Küchenkräuter biologisch
ziehen;*

Keil, Gisela,
Praxis Biogarten;

alle Titel: Gräfe und Unzer
Verlag, München

Seelische Hintergründe

Aliabadi, C., Lehnig, W.,
Wenn Essen zur Sucht wird;
Bastei-Lübbe, Bergisch-
Gladbach

Besser-Siegmund, C.,
Easy weight;
Econ-Verlag, München

Hay, L. L.,
*Gesundheit für Körper und
Seele;*
Heyne-Verlag, München

Orbach, S.,
Antidiätbuch I;
Frauenoffensive Verlag

Pearson, Dr. L. und L.,
Psycho-Diät;
Heyne-Verlag, München

**Konzentration und
Meditation**

Gawain, S., *Stell dir vor;*
Rowohlt Taschenbuch
Verlag, Reinbeck

Huth, Dr. med. A.,
Huth, Dr. med. W.,
*Meditation – Begegnung mit
der eigenen Mitte;*
Gräfe und Unzer Verlag,
München

Karpinski, Gloria D.,
Initiation im Alltag;
Knaur Verlag, München

Langen, Prof. Dr. med. D.,
Autogenes Training;
Gräfe und Unzer Verlag,
München

Leuner, Prof. H.,
Katathymes Bilderleben;
Thieme Verlag, Stuttgart

Ponder, C.,
*Die Heilungsgeheimnisse der
Jahrhunderte;*
Goldmann Verlag, München

*Yoga für alle Lebensstufen –
in Bildern;*
Sivananda Yoga Zentrum;
Gräfe und Unzer Verlag,
München

Sachregister

Wir danken der Firma KARE,
München, für Leihgaben beim
Styling der Fotos.

Bildnachweis
Peter Forster: Seite 90.
Katharina Lauterwasser-Stiehlow:
Seite 96.
Michael Nischke: Seite 6/7, 22,
31, 41, 46, 49, 55, 57; Styling
Jeanette Heerwagen.
Rainer Schmitz: U4, Seite 28/29,
65, 68/69, 70, 84; Foodstyling
Rudolf Vornehm.
Silvestris/L. Janicek: Seite 15
Heinrich von Walderdorff: Titel-
bild

Impressum
© 1994 Gräfe und Unzer Verlag
GmbH, München
2. überarbeitete Neuausgabe von
Wie neugeboren durch Fasten,
Gräfe und Unzer Verlag GmbH
1976, ISBN 3–7742-3426–4

Redaktion: Doris Schimmel-
pfennig-Funke
Schlußlektorat und
Bildredaktion: Felicitas Holdau
Layoutkonzept: Heinz Kraxen-
berger
Herstellung: Walter Lachen-
mann, Ina Hochbach
Satz: Oreos, Waakirchen
Reproduktion: Weissenberger,
München
Druck und Bindung:
Printer, Trento

ISBN 3–7742-2196–0

Auflage   5.   4.
Jahr   98   97   96